La reina del pacífico
y otras mujeres del narco

La reina del pacífico
y otras mujeres del narco

Víctor Ronquillo

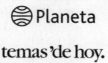

Planeta

temas 'de hoy.

Diseño de portada: Marco Xolio

© 2008, Víctor Ronquillo

Derechos reservados

© 2008, Editorial Planeta Mexicana, S.A. de C.V.
Avenida Presidente Masarik núm. 111, 2o. piso
Colonia Chapultepec Morales
C.P. 11570 México, D.F.
www.editorialplaneta.com.mx

Primera edición: junio de 2008
ISBN: 978-970-37-0805-5

Impreso en los talleres de Litográfica Ingramex, S.A. de C.V.
Centeno núm. 162, colonia Granjas Esmeralda, México, D.F.
Impreso y hecho en México – *Printed and made in Mexico*

Índice

Las historias reunidas en este libro proceden de la realidad.
Como lo he escrito en otras ocasiones, su semejanza
con hechos conocidos, más que una coincidencia,
es una desgracia.
Se han cambiado algunos nombres y situaciones
para proteger a los inocentes.

La caída de la Reina...

I

L AS LUCES ILUMINAN la alberca diseñada en forma de triángulo para atraer la energía positiva, según las creencias de la dueña de la casa. Está en el centro de un exuberante jardín, un edén que se extiende por decenas de metros hasta la casa donde vivía la mujer que construyó a su capricho la Quinta Las Delicias. Los pocos invitados que tuvieron el privilegio de caminar por ese jardín rumbo a la casa principal se encontraban con estatuas de faunos y hadas, dos fuentes y bancas donde se antojaba sentarse y ver la vida pasar.

La señora mandaba en su casa, en la que creó un ambiente barroco con la acumulación de objetos y una ornamentación dorada. Grandes muebles, figuras y pinturas alusivas a la fantasía de una niña que soñaba con ser una princesa y luego una reina.

Tal ostentación de lujo y despilfarro obedecía al afán

de no dejar un solo espacio vacío por temor a perderlo. En cada rincón de la enorme estancia de la casa, donde se apiñaban pequeñas mesas, sillones aterciopelados y un par de comedores para una docena de comensales, saltaban a la vista artículos de porcelana. Cualquiera podía tropezar al dar unos pasos entre los vericuetos de aquel santuario de lo *kitsch*.

Si el lugar donde vivimos nos retrata, la imagen de quien erigió la fastuosa Quinta Las Delicias es el de una mujer madura, de sofisticada belleza, producto de cirugías, tintes y los más caros afeites. De largo cabello negro, una quimera ensortijada para sus amantes. Tiene la piel trigueña, suave al tacto, y el rostro trastocado por una operación de nariz que convierte lo que fue una dulce expresión en una mueca torcida. Los senos de esta mujer menuda, como sus nalgas, están hechos a la medida para imponerse con una belleza que a simple vista parece vulgar. Pero más allá de lo superficial y lo exótico, el verdadero encanto de la Reina radica en la seguridad con la que siempre se planta frente al mundo.

La seguridad, el donaire le vienen de su estirpe sinaloense, de su pertenencia a una dinastía de narcos. Y la nobleza de esa dinastía la otorgan la inmensa fortuna y la audacia de haber erigido imperios de la nada.

El árbol genealógico de esta Reina bien puede representarse con una frondosa mata de mariguana, cuyas ramas se extienden a lo largo de generaciones en la historia del narcotráfico en México.

Por el lado del padre, tuvo un par de tíos abuelos vinculados a la gestación del cártel de Juárez. Por el de la madre, el tío más querido de la Reina ocupa uno de los lugares más destacados en la galería de personajes célebres del narcotráfico. Es el más grande de los viejos capos, el primero en convertir un rudimentario negocio rural en la siempre pujante trasnacional del narco, una industria sin chimeneas con capital variable de millones y millones de dólares. En su tiempo, este personaje perteneció a consejos administrativos de bancos, fue dueño de inmobiliarias y uno de los más hábiles ingenieros financieros, capaz de transformar los ilícitos dineros del narcotráfico en relucientes fortunas.

Nacidos en los confines de pueblos serranos de Sinaloa, los parientes de la Reina tienen un origen humilde. La historia de la pobreza y la marginación sufridas por generaciones enteras de los suyos dio un giro con el cultivo de la mariguana, del opio, y el tráfico de cocaína. El gran negocio del México posterior a la década de los años cincuenta del siglo pasado convirtió a humildes campesinos, a modestos contrabandistas de licores y ropa, en grandes potentados.

II

Han pasado sólo unas horas desde su captura. La Reina vive la pesadilla de perderlo todo, de reconocerse en otra

mujer, una mujer convertida en personaje de novela barata, un símbolo del narco mexicano vendido como *mexican
curious*. La Reina derrocada sabe que va rumbo al exilio.
Su próximo destino es un penal en Estados Unidos, luego de la inaplazable extradición, de un juicio sin garantías,
de una sentencia dictada de antemano.

Es de noche, el tiempo transcurre con lentitud. Nunca se ha sentido tan sola, tan incomunicada, inmóvil en
la vana espera de que esto termine pronto, preguntándo-
se por qué la vida le ha dado el más desafortunado de los
reveses.

Imposible dormir de corrido después de las agotadoras declaraciones, del acoso de la cámara de video que la
ha seguido a todas partes, del innecesario despliegue policiaco para capturarla a ella, a una dama. Puede dormir sólo
a ratos, para despertar con la angustia de hallarse en esta
celda que le resulta aterradora por su vacío y la mugre que
guarda bajo su aparente limpieza.

La Reina cierra los ojos y recurre a las enseñanzas de
sus maestros para tratar de relajarse y sobrellevar lo mejor
posible el infierno de la primera noche de cautiverio.
Aunque hace muchos años dejó de creer en los finales felices, no tolera este cruel desenlace.

Por eso, como ocurre con la mayoría de quienes sufren
de golpe el *carcelazo*, cuando la vigilia y el sueño se confunden en las primeras horas de su encierro, piensa en la
muerte. Un suicidio para terminar de una vez con todo,
para dejar a los jueces gringos esperándola. Una amarga

revancha, pero al fin revancha. Ahorcarse con lo que se pueda, una mala elección para alguien que se precia de su belleza; mejor morir envenenada, con alguna sustancia introducida de contrabando para dejarles el problema a los dueños del penal, o a los responsables de haberla traído hasta aquí. Tal vez pagarle a cualquiera de las miserables mujeres, esas sombras de prisión, para que la mate, lo que podría resultar muy doloroso. Hay que imaginarse cómo se vería su cuerpo apuñalado aquí y allá.

La mejor opción es el veneno.

Sin embargo, quién le iba a decir a la Reina que las chinches la salvarán de la muerte, o al menos de los pensamientos suicidas que la atribulan en su primera noche de encierro.

Empieza a rascarse, primero las piernas, luego la espalda. La picazón es insoportable, un verdadero tormento que le urge mitigar. Agua fría, mucha agua fría en las partes laceradas por los insectos.

Después, sobarse con desesperación y sin tregua. Tiene que controlar su respiración, cerrar los ojos y tranquilizarse. Debe recordar las recomendaciones de los sanadores, los brujos y los adivinos a los que tantas veces ha recurrido en su vida, para que sus enseñanzas la protejan del ataque de las chinches.

Las chinches: diminutos vampiros dispuestos a aniquilar a su víctima, la mujer que se ha tendido sobre un catre de cemento cubierto por un colchón forrado de plástico, hábitat de millones de esos insectos.

Esta noche, la noche de su captura, las terribles chinches aplican a la Reina una fuerte dosis de realidad.

III

Ocurrió justo antes de entrar al fraccionamiento El Retiro, a menos de cien metros de la aduana policiaca que preserva al lugar de visitas no deseadas. El comando estaba formado por dos autos compactos y una camioneta. Todos los vehículos eran nuevos, sin placas. Fue una operación precisa, calculada para que nadie resultara herido. Uno de los autos le cerró el paso al Jaguar negro, blindado, que conducía el muchacho; el otro se colocó en la parte trasera. Cinco, seis hombres armados bajaron de la camioneta y amenazaron a los ocupantes del lujoso coche. Iban por el muchacho que lo conducía, ni siquiera se molestaron en bajar al par de amigos que lo acompañaban. Los testigos señalan que los hombres que perpetraron el ataque vestían de negro, llevaban el rostro cubierto y portaban rifles de asalto y ametralladoras.

Eran pasadas las cinco de una calurosa tarde de verano, la hora en que hay menos movimiento de entrada y salida en el exclusivo fraccionamiento. Los policías de la aduana pagada por los vecinos de El Retiro ni siquiera pensaron en usar sus armas, esas pistolitas casi de juguete que ninguno de ellos había disparado jamás. Se tomaron su tiempo para avisar por teléfono a los policías de verdad. Sabían bien que era cosa de narcos, y en las cosas de narcos lo mejor es no meterse.

Al muchacho del Jaguar negro lo conocían los ocho hombres que resguardaban la aduana del fraccionamiento en turnos de veinticuatro horas por veinticuatro. Vivía en la Quinta Las Delicias, una residencia construida en desniveles para aprovechar el extenso terreno de la colina al final del fraccionamiento. La residencia tenía fama de ser la más lujosa del lugar, con un amplio jardín y una alberca enorme en forma de triángulo, una casa de narcos como había muchas en El Retiro.

La Reina lo supo en cuanto sucedió; a esas horas estaba dedicada a la meditación. En su interminable búsqueda de un motivo en qué creer y a dónde ir, había encontrado una forma heterodoxa de budismo que le permitía conservar la riqueza, los negocios y las artes propias de una eficaz administradora y financiera del narco. Aquel dios suyo entendía bien que, a veces, en la búsqueda de la paz interior era necesario eliminar obstáculos del camino, aun cuando se tratara de rivales a los que había que asesinar. Todo se debía realizar sin arrepentimiento, pues éste amargaba, causaba dolor y por lo tanto alejaba de ese dios hecho a la medida de la propia felicidad.

A la Reina le gustaba dar consejos y ser consultada, ayudar a otras mujeres en sus conflictos existenciales; por eso había montado una cadena de clínicas de belleza en las que también se ofrecían servicios de ayuda espiritual. Un buen negocio que, además de representarle nada despreciables ganancias, hacía posible que se relacionara con las esposas y amantes de muchos hombres poderosos.

Una corazonada de malas noticias la inquietó. Un malestar inconfundible. La Reina presiente esas cosas. Como meditaba y estaba tranquila, pudo visualizar a su hijo, lo más querido en su vida. Ese muchacho destinado a ocupar algún día su lugar, a continuar con la dinastía de la familia y el negocio. Jonás se llamaba, por Jonás el de la ballena del que habla la Biblia. Así lo llamó desde que lo llevaba en las entrañas.

Lo había criado sola, pues al padre lo mataron. Su hijo estaba por encima de sus riquezas, de los amores que había tenido, de sus placeres.

Vio la angustia en el rostro del muchacho. Le había ocurrido algo muy malo. Temió lo peor. Nadie sabía en qué momento alguna vieja venganza terminaría en una ejecución. Temió que lo hubieran matado. Se levantó de golpe y buscó el teléfono para llamarlo, marcó con desesperación. Pero el teléfono celular estaba desconectado.

Hasta entonces, ese miércoles había transcurrido como de costumbre. El muchacho había ido a la universidad donde estudiaba una de esas carreras modernas que ella ni siquiera era capaz de recordar. Algo relacionado con la cibernética y la mecánica. Su madre esperaba que lo que aprendiera en aquella costosa universidad alguna vez le sirviera para aplicarlo al negocio que iba a heredar.

Después de las clases, Jonás comía con sus amigos y volvía a casa. Tenía diecinueve años y era muy tranquilo, demasiado tranquilo, pensaba la Reina, para su edad. A veces se preguntaba de quién habría heredado Jonás tal serenidad, si sería acaso por su nombre, o quizá porque jamás le había faltado nada en la vida, o porque, a ella le costaba reconocerlo, ese hijo suyo era más bien lento, como que había sido programado en una frecuencia distinta a la del resto de las personas; era un ser imperturbable, incapaz de ir más allá de los patrones dictados por una forma de vida cómoda.

No habían pasado ni diez minutos cuando sonó el teléfono, la alarma de las malas noticias, un timbrazo agresivo y desconcertante. La Reina levantó el auricular.

—Buenas tardes, señora. Queremos que esté tranquila. Usted necesita saber que tenemos a su hijo con nosotros.

No atinó a responder nada; trató de explicarse lo que ocurría, de atribuírselo a alguien, de hacer un rápido inventario de sus enemigos, un listado de deudas pendientes.

—Le pusimos precio a la vida del muchacho: cinco millones de dólares.

Eran profesionales. Aquella voz tenía un dejo metálico que la distorsionaba. La voz grave de un hombre maduro cuyas palabras eran precisas y filosas.

—El muchacho va a estar bien, lo vamos a atender lo mejor que podamos. De lo único que usted tiene que preocuparse es de reunir el dinero y entregárnoslo el próximo domingo en la tarde. Está demás decirle que todo lo tenemos controlado, que como usted, nosotros somos gente que sabe hacer negocios, muy buenos negocios.

IV

La Reina sabía cómo hacer negocios. Lo primero fue ir al otro lado por "cargamentos" de dólares, traer los billetes de las ganancias en camionetas y autos acondicionados con pisos de doble fondo, aprovechando de la mejor manera todos los huecos posibles. Una operación rudimentaria en la cual se corrían demasiados riesgos y se debía repartir mucho dinero para no tener problemas con ninguna autoridad a lo largo de las rutas carreteras que se seguían del norte al sur.

Además de aventurados, aquellos viajes eran lentos, interminables en la aburrida carretera. Una vez la capturaron. Agotada, venía de Houston con una carga de dólares. Fue una de las pocas veces en que emprendió un viaje sin compañía ni protección; le urgía llegar, pues pensaba mover el porcentaje de sus ganancias lo más pronto posible. Todo salió mal; la camioneta se sobrecalentó y tuvo que cambiar de vehículo antes de cruzar la frontera. Cuando la detuvieron en un retén colocado horas antes, le ofreció al subteniente del Ejército encargado mil dólares, pero aquel muchacho moreno, venido del sur, un extraño en ese árido desierto de Sonora-Arizona, de imperturbable rostro indígena, le pidió la mitad del cargamento de dólares. Ella sólo sonrió. Aquel muchacho había tenido suerte, le habrían cobrado con la vida el servicio de peaje que ofrecía.

La primera captura de la Reina fue un accidente que se resolvió con un par de llamadas. Tres horas después de ser detenida pudo seguir su camino hacia el sur con la carga de dólares completa.

Luego de aquella experiencia consideró que era necesario modernizarse, encontrar formas distintas a las rutas convencionales por carretera. Fue entonces cuando montó una agencia de mujeres dedicadas al transporte clandestino de cientos de miles de dólares. Todas fueron seleccionadas por su aspecto, distinguidas, capaces de imponerse con los atributos de su belleza a los agentes aduanales y los policías. Las prefería de más de treinta años, vestidas con ropa fina, enjoyadas, que dieran la impresión de ser esposas de alguien muy importante.

El negocio marchaba bien; además de las ganancias obtenidas con las viejas rutas de la carretera, las chicas de la Reina volvían del norte con su preciada carga de billetes verdes de cien dólares ocultos en sus maletas entre ropa costosa sin estrenar.

Es imposible saber cuánto dinero movió la Reina en su red de contrabando de dólares. Millones a lo largo de más de diez años.

La Reina demostró su eficacia dentro del negocio, había encontrado su lugar en las operaciones de las poderosas organizaciones con las que tenía nexos familiares. Lejos de ser la amante de alguno de los jefes, de convertirse en la pieza de ornato más preciada en la casa de algún patrón, demostró sus habilidades para el manejo de los dineros.

Una vez montada otra red para el tránsito de dólares del norte al sur, una red mucho más sofisticada, una red cibernética, la Reina entró de lleno al negocio del lavado del dinero. Encontró las más diversas formas de invertir, de lograr que las fabulosas ganancias fueran liberadas y aprovechadas.

La Reina y sus negocios: una red de casas de cambio en la frontera, inteligentes operaciones en el traslado de remesas; una docena de inmobiliarias, instaladas en las principales ciudades del norte del país, y, el que más le gustaba, la cadena de negocios dedicados a la belleza femenina.

Cuando se habla de inversiones en bienes raíces, de inmobiliarias para el lavado del dinero, se habla de negocios millonarios. Allá en el norte, en una de las principales capitales, la Reina invirtió en trescientos lotes residenciales, se propuso construir un lujoso fraccionamiento llamado Valle del Sol. El costo de cada lote en venta iba del millón al millón y medio de pesos.

El negocio de Valle del Sol era uno de tantos, la verdad era que a la Reina le importaba tan poco que lo abandonó, jamás se vendieron los lotes. En aquel proyecto la Reina tenía un socio, un abogado local, necesario para darle una fachada de legalidad a la millonaria inversión del fraccionamiento. Dicho socio lleva diez años en el litigio por aquella propiedad que quedó abandonada.

A esa mujer le habrían bastado los nexos de su familia, incluso los atributos de su belleza, para llevar una vida desahogada, sin problemas, pero quería más y fue más lejos. Por ello, en la dinastía del narco ostenta el título de Reina.

Además de manejar el dinero, de tener el don de que los dólares quedaran despojados de su pasado y pudieran ingresar sin problemas a las arcas de sus propietarios convertidos en provechosos negocios, de ser mucho más que una hábil administradora, la Reina sirvió de nexo con los colombianos. Nadie mejor que ella para las relaciones públicas, para suavizar los malos entendidos que de manera inevitable surgen en cualquier relación comercial.

Tales nexos le permitieron convertirse en uno de los principales proveedores de la cocaína venida del sur. De manera inteligente se evitó problemas; lejos de pugnar por el control del mercado, ofreció rutas y bajos costos a sus socios y amigos de siempre.

Años después de iniciadas las operaciones de la Reina, un barco atunero con la preciada carga de nueve toneladas de cocaína fue capturado en aguas internacionales frente a las costas mexicanas de Colima. Una operación precisa, quirúrgica, bien preparada. El decomiso provocó la pérdida de millones de dólares.

La Reina había conseguido establecer la ruta del trasiego de coca con sus socios colombianos. Y el más importante de aquellos socios pertenecía también a la dinastía de los narcos. Treinta años antes, su padre había sido uno de los precursores del negocio, había librado guerras contra competidores y establecido arreglos con las autoridades con que hiciera falta. Fue perseguido por los gringos, que lo pusieron en la mira en la época de los extraditables. Aquel personaje del narco colombiano desapareció sin que nadie volviera a saber de él. Fue entonces cuando sus hijos, siendo todavía muy jóvenes, se hicieron cargo del negocio.

Lo llamaban el León por su fiereza y prestancia, y de verdad había mucho de felino en su mirada y sus movimientos. No pasó mucho tiempo antes de que la Reina y el León llevaran la alianza de negocios más allá, de que pactaran en la cama los porcentajes de sus ganancias, de que se convirtieran en una bien avenida pareja.

El negocio siguió en ascenso, pocas veces se vio perturbado por pequeños incidentes; las rutas de la coca trazadas por la Reina y el León siempre rindieron ganancias. Los cargamentos llegaban sin problemas a su destino, desde el sur hasta el mercado del norte. La Reina y sus socios ya eran de los principales abastecedores de la coca que cruzaba miles de kilómetros hasta las calles de las ciudades de Estados Unidos.

Fue entonces cuando ocurrió aquel decomiso, cuando la operación del transporte de nueve toneladas de cocaína se cayó.

Al León lo buscaron sus socios, querían una explicación de lo que había sucedido. Le exigieron que los indemnizara. Lo tuvo que hacer. Empezó a desconfiar, una ruta como ésa, probada, arreglada, no se caía sola. Algo había pasado, alguien lo había traicionado.

V

¡Qué decir de la belleza de la reina…! Hay que imaginarla a los diecinueve años, un verdadero portento, con la intensa mirada de sus ojos negros, los rasgos de muñeca fina
de su rostro, ese cuerpo trazado con curvas de arrolladora
sensualidad. Los senos redondos, henchidos. A la Reina le
gustaba despertar el deseo de quienes la miraban. Le gustaba ejercer esa forma de dominio sobre los hombres, a los
que consideraba una parvada de seres indefensos ante su
sonrisa. Bastaba una palabra suya para provocar ansiedad y
hasta temor en muchos de ellos.

La Reina era implacable para echar mano de su belleza a fin de acribillar infelices. Una de sus primeras víctimas
fue Emilio Farías, comandante de la policía judicial en Culiacán, hombre clave para los negocios de su familia.

Hasta antes de conocer a la Reina, el comandante Farías se mostró como un hombre ambicioso, siempre con
deseos de más y más dinero. Incluso se atrevió a insinuar
que quería controlar parte del negocio, una tajada más
grande del pastel. Era un hombre poderoso con nexos por
todas partes, muy bien protegido, por lo cual resultaba difícil deshacerse de él sin pagar las consecuencias.

En cuanto vio a aquella joven quedó prendado. Ella
tenía diecinueve años y él andaba ya por los cincuenta. Se
conocieron en el cumpleaños de uno de los hombres de
confianza del Patrón, quien estuvo por ahí y saludó al co-

mandante Farías. Cuando aquel poderoso hombre se acercó a su mesa, el comandante le dijo que por fin había descubierto cuál era su precio.

Bebieron juntos, disfrutaron de la fiesta un rato hasta que el Patrón le pidió explicarse sobre eso del precio, de lo que costaba su discreción. El comandante era divorciado; en cuestión de amores la vida lo había tratado mal, le había tocado perder una y otra vez en lo que llamaba la ruleta del amor. No le gustaba que lo engañaran, tampoco pagar por sexo, por eso desde hacía mucho llevaba una vida casta. A su ex mujer la veía poco y no era dado a mantener amantes.

Estaba un poco borracho. Miró a la muchacha bailar con algún tipo y sintió celos. Desde que la vio, cuando se topó con ella al entrar a la fiesta, sintió la imperiosa necesidad de llevarse a esa mujer, de hacerla suya y convertirla en la reina de su vida. Así se lo dijo al Patrón: hacerla la reina de su vida.

Como lo que más importaba era el negocio, el Patrón preguntó quién era la muchacha. Resultó ser la hija de un primo suyo. Todo estaba arreglado. Por aquello de la familia, una familia católica como Dios manda, no podía llevarse a la muchacha esa misma noche, pero era cuestión de tiempo.

—Paciencia, comandante, hay que tener paciencia.

La boda se celebró tres meses después y hubo una gran fiesta, con más de trescientos invitados. Esa noche el comandante agradeció su suerte; además de haberse casado con la mujer más bella del mundo, había ingresado a la familia del Patrón. Nada le faltaría, su futuro estaba asegurado. Podría llegar a ser procurador de Justicia, quizá subir mucho más alto con el respaldo del poderoso Patrón.

Quién le iba a decir al comandante Farías que aquel amor frustrado lo llevaría a conocer la amargura del desprecio. Tampoco pudo haberse imaginado que antes de tres meses moriría ejecutado.

Los sicarios también se enamoran.

VI

De aquel amor, no el frustrado, sino el que fue cobrado con la vida del comandante de la judicial por su atrevimiento de tocar a la Reina, nació el único hijo de la mujer. El muchacho secuestrado.

La zaga del narco está formada por un cúmulo de negras versiones. Los expedientes judiciales se arman como rompecabezas para ocultar la corrupción y beneficiar a quien conviene.

Hay que recurrir a todas las fuentes posibles, a los informantes, a los propios funcionarios dispuestos a abrir el expediente, a los colegas reporteros sobre quien se cierne la amenaza de ser ejecutados si se atreven a publicar lo que saben.

De acuerdo con la versión oficial, la caída de la Reina se inició con el secuestro de su hijo. Nadie explica por qué alguien se atrevió a perpetrar ese secuestro, a atentar contra una mujer tan poderosa.

Según la información que algún funcionario se anima a filtrar a la hora de los postres, después de la costosa comida pagada con la tarjeta de crédito de quien busca los hilos para dar forma a esta historia, la Reina cometió el error de llamar a la policía, de denunciar el secuestro. Una mujer desesperada, temerosa por la vida de su hijo, es capaz de cualquier cosa. Incluso de llamar a sus poderosos amigos, los más pesados narcos, usando el teléfono intervenido por el comandante de secuestros y sus hombres. Un personaje ejecutado semanas después de que se pagó el rescate, los cinco millones de dólares.

Otro comandante ejecutado y punto. Nadie se preguntó cuál pudo ser el móvil del crimen, ni quién lo cometió.

Con esas llamadas incriminatorias, la Reina tejió la red en la que terminó por caer, de acuerdo con el funcionario que demuestra que sabe vivir al elegir el vino que acompañó nuestra comida. Un funcionario que viaja en camioneta blindada y cuya escolta personal es de más de una docena de hombres.

En otro lugar, en otra ciudad, un colega se atreve a contar otra versión de la caída de la Reina. Fue por negocios, sólo negocios.

Los veteranos de la nota roja y la información policiaca en ciudades clave de la geografía del narco se han convertido en verdaderos especialistas del tema, capaces de atar cabos con datos encontrados aquí y allá, que alguien les filtra y que, también llega a ocurrir, alguien paga por que publiquen.

Nadie se habría atrevido a tocar a la Reina sin que se hubiera justificado por el pago de una deuda o una traición. Las historias negras no pueden tener final feliz. Así, quien planeó el secuestro requería gente profesional y la mayor discreción. Si la Reina se hubiera enterado, cualquiera de sus amigos habría intervenido y una docena de muertes habrían terminado con la historia de un frustrado secuestro.

Los secuestradores más expertos, los que pueden operar con toda impunidad, son los mismos policías. Mataron al comandante de secuestros porque, como decían los gángsters de las viejas películas, sabía demasiado.

VII

Nueve toneladas de cocaína. La mercancía decomisada tenía varios dueños, los cuales esperaban su parte del negocio. Algunos intermediarios capaces de sacarla de las montañas del sur de Colombia, almacenarla y entregarla cuando les fuera indicado. Los mismos responsables de custodiar el cargamento hasta su destino final, a quienes se debía pagar cuantiosas comisiones.

Dinero para todos, cientos de miles de dólares que se quedaron sin repartir. Una deuda que sólo se pagaba con la vida.

Había que pagar, exigirle a la Reina el dinero. Exigírselo de la única manera posible. El secuestro de su hijo planeado desde Colombia y perpetrado por policías mexicanos para evitar confrontarse con los poderosos amigos de la mujer.

Pero todo se sabe, el control se extiende por la amplia geografía del bajo mundo. Sobran informantes bajo nómina. La Reina pagó por la libertad de su hijo. Pagó para indemnizar a quienes perdieron dinero a causa del decomiso de la coca en la costa de Manzanillo. Pagó, pero juró vengarse.

Tiempo después, su caída fue únicamente cuestión de negocios.

■

SANDRA ÁVILA BELTRÁN fue detenida el 28 de septiembre de 2007. A este personaje de novelas y narcocorridos lo conocimos en las pantallas de televisión, después de su captura. Según la información oficial, la llamada Reina del Pacífico fue pieza clave en las operaciones del narcotráfico a nivel continental. Es quizá la única mujer que ha desempeñado misiones tan delicadas como transportar las millonarias ganancias del narcotráfico del norte al sur, de Estados Unidos a Colombia, y de repartirlas entre los más importantes líderes de organizaciones criminales como el cártel de Sinaloa, hoy convertido en la poderosa Federación.

La Reina del Pacífico pertenece a lo que puede considerarse la dinastía del narco; es sobrina de Miguel Ángel Félix Gallardo y prima lejana de Rafael Caro Quintero. En el árbol genealógico de Sandra Ávila Beltrán aparecen personajes ligados al narcotráfico de tres generaciones distintas. Juan José Quintero Payán, integrante del cártel de Juárez, es su tío abuelo, y Joaquín el Chapo Guzmán, su primo segundo. Alfredo, Arturo y Mario Beltrán Leyva son también sus primos.

De acuerdo con el expediente que la DEA tiene de Sandra Ávila Beltrán, esta mujer de cuarenta y cuatro años de edad se encargaba de administrar el traslado vía marítima de cocaína producida en Colombia rumbo al mercado de Estados Unidos. Su relación con Juan Diego Espinosa Ramírez, conocido como el Tigre, significó la alianza entre dos de las más poderosas organizaciones criminales en el continente: el cártel del Valle, asentado en Colombia, y la Federación.

Sandra Ávila Beltrán, también conocida como Paula Orozco Lizárraga, Pamela Fuentes León, Sandra Luz Arroyo Ochoa y Daniela García Chávez, vivió en el fraccionamiento Puerta de Hierro, en Zapopan, municipio conurbado con Guadalajara, en Jalisco. Existe información de que creó una agencia fantasma de bienes raíces en Hermosillo, Sonora. Al lado de Juan Diego Espinosa Ramírez, fue propietaria de la cadena de estéticas Electric Beach, dedicadas al bronceado corporal y ubicadas en Jalisco y Colima.

La pareja ofrecía consultas psíquicas y parapsicológicas a través de anuncios transmitidos en televisión por cable.

Sandra Ávila Beltrán enfrenta cargos en México por lavado de dinero, delincuencia organizada y posesión de arma de fuego de uso exclusivo del Ejército.

Desde su reclusión en el penal femenil de Santa Martha Acatitla, libra una batalla jurídica para evitar su extradición a Estados Unidos, donde está acusada de narcotráfico, de operar el trasiego de droga desde Colombia por rutas marítimas con la colaboración de narcotraficantes mexicanos.

El maíz bola de La Montaña

LAS PUERTAS DE LAS CASAS permanecen cerradas. Mucha gente se ha ido lejos, sólo unos pocos quedan en el caserío, uno de tantos en la región de La Montaña en Guerrero. Se puede ver a los viejos, los enfermos y algunos niños que andan por ahí. Muchas mujeres también se han ido. Y hay quienes ya no volverán; cruzaron la frontera y parece imposible imaginar que ahora vivan en ciudades como Nueva York, tan distante, tan ajena.

En esta región, la pobreza y el aislamiento se palpan cruelmente en enfermedades como la diarrea y la gripe, tan sencillas de tratar en otros lugares, pero que aquí pueden llevar a la tumba a la gente, sobre todo a ancianos y a niños.

Aquí el hambre es ancestral. La existencia transcurre atada a la miseria.

En La Montaña únicamente hay dos maneras de subsistir: migrando o sembrando maíz bola.

Llovió toda la tarde y toda la noche. Siguió lloviendo al amanecer y por la mañana. Podría decirse que el pueblo quedó sitiado por el agua. El cauce del río arrastra piedras y troncos, las aguas corren con fuerza, por ahora ningún vehículo puede cruzar.

Los caminos, las brechas están cubiertos de lodo. No hay más remedio que aguardar a que cese la lluvia para viajar de regreso a Tlapa. La espera puede prolongarse un par de días o un par de semanas, nadie lo sabe.

Anoche dormimos en la casa de Cruzita, donde nos hospedaremos hasta que podamos macharnos. Aquí no hay prisas, ni urgencias; la lluvia condena al aislamiento. Si alguien se enferma, no hay otro remedio que esperar; si se agrava, hay que seguir esperando. Muchos han muerto así.

Cruzita es una mujer templada por la vida, de sólido andar pese a su avanzada edad. Ha envejecido con dignidad y belleza. Fue maestra rural, de las pocas que había hace muchos años. Aunque ya se jubiló, todavía dedica lo mejor de su tiempo a alfabetizar a niños y adultos. Habla un español dulce, con ecos y reminiscencias del tlapaneco, su lengua materna.

A Cruzita la respetan todos, más allá de las prácticas y costumbres impuestas por una forma de vida que se ha mantenido en las comunidades indígenas. Su voz es escuchada. Esta mujer es la memoria del pueblo, lleva el recuento de su historia. Sabe de sus tragedias y sus fiestas.

Llegamos cansados, luego de una larga jornada en la

que recorrimos distintos pueblos hasta arribar a Metlatónoc, uno de los municipios más pobres del país, con una calidad de vida similar a la del África subsahariana.

El pueblo de Cruzita es uno de los muchos que conforman el municipio de Metlatónoc. Preparando un reportaje sobre migración, me había propuesto ir a los lugares de origen en Guerrero de los migrantes que muchas veces encontré en sitios como Altar, cerca de la frontera de Sonora con Arizona, o aún más lejos, en Nueva York, la capital mundial de los migrantes.

Cruzita nos dio frijoles recién cocidos en un platón animado por un trozo de queso. Las tortillas eran enormes. Ella misma, junto con una de sus hijas, las hizo a mano en un gran comal que estaba sobre una estufa de leña. Tortillas distintas a las de la urbe, con un sabor más bronco, más puro. Y los frijoles, esos frijoles negros, un poco salados, los hambrientos visitantes los disfrutamos como un manjar.

La hospitalidad es lo mejor de su casa, una casa humilde de dos habitaciones, piso de tierra y muebles rudimentarios. En la pared de cemento encalado están colgadas con sus marcos de madera las fotografías de los hijos y nietos de Cruzita. Toda la familia aparece en esas fotos: el hijo que vive en Nueva York, los otros que andan en la cosecha del tomate en Culiacán, y el mayor de todos, ya fallecido. Una de tantas víctimas del maíz bola.

El cultivo de la amapola dejó en este pueblo, como en muchos otros, una estela de muerte.

A Cruzita le hace falta compañía. Le dio gusto saber que el *jeep* no puede cruzar el río, que ignoramos cuántos días tendremos que pasar aquí, aprisionados por esta lluvia que no cesa.

Los que se fueron a Culiacán volverán en tres meses, para el Día de Muertos. Los del otro lado quién sabe. De ellos recibe noticias cuando va a Metlatónoc y los llama por teléfono o cuando algún pariente regresa con las cartas y las fotografías que le envían.

Cruzita es viuda. Viven con ella dos de sus hijas; espera que se casen pronto y tengan su propia familia.

Apenas terminamos de comer, vuelve a llover. Del mayor de sus hijos Cruzita casi no habla. Lo mataron. Esta noche, la mujer se sienta con nosotros y cuenta la historia del maíz bola en La Montaña.

El relato de Cruzita

Nadie sabe bien cómo llegó la amapola. Dicen que la trajeron los soldados, llegaron con semilla que repartieron a la gente. Fue hace muchos años, más de treinta, cuando la guerrilla. Por acá también vino el Ejército con sus generales. Había miedo, mucho miedo, ellos nos dijeron que eran la ley, la única ley, y por todas partes se apostaron en los caminos.

Otros cuentan que trajeron la mariguana y la amapola para hacer negocio. Gente que llegaba del norte y regalaba semillas. Rentaban la tierra y pagaban por la cosecha. Eso también pasó hace más de treinta años.

Para entonces la tierra ya estaba enferma, se moría, daba poco y nadie tenía modo de vivir. Pagaban diez veces más por un kilo de la pasta esa que preparan que por un kilo de maíz. Además, daban todo, ayudaban con lo que hiciera falta, fertilizantes, herramientas, lo que fuera. Le enseñaron a la gente a sembrar y a cuidar la siembra. Los cultivos necesitaban sombra y mucha agua. Con el tiempo tuvieron que hacerse cada vez más lejos, ocultos, bien metidos en el cerro. Tan lejos que hubo quienes se pasaban allá el tiempo cuidando sus plantíos. Otros alquilaron jornaleros y cuidadores; con ese pretexto empezaron a llegar las armas.

En ese tiempo había armas, pero no tantas. Siempre hubo, pero ahora había cada vez más y más. Los del Ejército las vendían. Las daban baratas. La gente que controlaba el negocio del maíz bola también las vendía. Todos querían tener armas.

Lo empezaron a llamar maíz bola. Como antes el maíz nos dio de comer, así la amapola nos daba el sustento. Era un engaño, nada nos dejó más que muerte y desazón. El dinero que pagaban al principio era mucho y provocó envidias. Luego fue menos porque dondequiera cultivaban amapola.

Mucha gente de los pueblos que tenía su tierra empezó a sembrar, a hacer negocio. Pagaban bien, por adelantado, y nunca faltaba nada.

Después vinieron las envidias y los rencores. Hubo quienes se robaban el producto de otros y lo vendían. Ahí empezaron las emboscadas en los parajes más apartados. Hombres armados se escondían hasta que pasaban con la carga, al principio en caballos y luego en camionetas. Les salían al paso y les disparaban. Hubo varias de esas muertes. Les quitaban la mercancía. La daban más barata y eso les convenía a los verdaderos dueños del negocio. No voy a decir nombres. Esos señores se hicieron amigos de los caciques de por aquí y desde entonces están protegidos por ellos, y por los generales del Ejército, a los que también les dan su mochada. Para mí que el Ejército los ayudó.

En ese tiempo yo estaba joven. Fue mucho después que empezaron a perseguir a la gente. Venían soldados, batallones enteros, *jeeps* y demás. Llegaban a los sembradíos y los arrasaban. Destruían todo, le prendían fuego. Eran épocas difíciles, pero, como siempre, había modo de arreglarse, y hubo muchos que siguieron con el negocio. Lo único que tenían que hacer era sembrar en lugares escondidos; costaba más trabajo, pero ni modo. Los soldados llegaban primero a pie y luego empezaron con lo de los helicópteros. Por aquí han tirado dos. A uno con cables tendidos en los cañones, entre las montañas. Al otro dicen que le dispararon con una ametralladora muy potente. Otros cuentan que fue un accidente; como quiera que sea, el helicóptero se cayó.

Fue entonces cuando hubo más líos, los robos, los asaltos, las peleas por el negocio y los sembradíos.

Cuando llegaron más soldados comenzaron los problemas. El negocio era más difícil, había muchas armas y todos tenían que cumplir con los compromisos.

Allá en el monte, en los rincones más apartados, a la matita hay que mantenerla regada, por eso cuesta tanto trabajo cultivarla, además de que se debe hacer a escondidas. Decían que los soldados tenían que cumplir con quién sabe qué cuotas y por eso incendiaban los campos. Los que compraban la pasta empezaron a traer armas. Eran muy baratas. Los soldados también comenzaron a vender. Fue ahí donde iniciaron los ataques, las muertes, las emboscadas, las venganzas. Muchos murieron de todos los pueblos.

Cuando al principio regalaban las semillas, la gente se las daba a sus familias, y muchos empezaron a sembrar. Después las vendían más caras. Para entonces había mucha amapola por todas partes y el precio de la goma se hizo cada vez más barato. Los que venían de lejos a comprarla estaban contentos pagando menos.

El maíz bola amarga y provoca dolor, lo alimentamos con nuestra sangre. Llegaron las armas, las pistolas, los cuernos de chivo. Nadie ganaba dinero fácil, nadie. Para llegar a la cosecha, al raspado de la planta, para sacarle la pulpa y luego vender la goma se trabajaba mucho. Al principio sembraban cerca de los pueblos, pero luego se tuvieron que ir más lejos.

Además de los soldados que arrasaban los sembradíos, había que tener cuidado con la gente que se dedicaba a robar la goma, a saquear lo que podía de los campos. Todos tenían miedo y por eso se fueron cada vez más lejos. Allá en los parajes más distantes hubo emboscadas. Muchos murieron y ya ni quién sepa dónde quedaron los cuerpos.

De una sola familia se mataron siete, entre primos, hermanos y cuñados. Se mataron por dinero. Todavía hay rencor en las familias. Eran de aquí, de este pueblo. La gente sabe lo que pasó; de por sí eran gente mala, muy borrachos. Los de esa familia fueron de los primeros en sembrar amapola. Ganaban mucho dinero, pero eran envidiosos. No querían que nadie más sembrara. Hubo problemas entre ellos. Habían pasado ya varios años, pero ellos seguían siendo de los que más vendían. Vendían mucha goma. Tenían grandes sembradíos por todas partes, todos sabían dónde, que les trabajaban jornaleros alquilados que se traían de otros pueblos. Hasta el Ejército los respetaba, nunca quemaron sus tierras ni se metieron en su negocio. Dicen que eran amigos de los militares, que se emborrachaban con ellos.

Empezaron los pleitos por dinero. A uno de ellos le robaron y a otro lo emboscaron para quitarle el dinero que traía. Dicen que esas muertes entre primos fueron por venganza, que los difuntos ya traían diferencias y que uno mató al otro. Luego los hermanos fueron por él y le quitaron el dinero que decían era suyo y de su familia.

Esos mismos hombres habían matado para hacerse del negocio de otros; a nadie le importaba, aquí nunca ha habido ley ni respeto. Sólo las armas. Ellos mismos, los de esa familia, robaron a otros lo que pudieron. Por eso nadie se extrañó cuando a otro de los hermanos lo encontraron muerto. Le dispararon y le quitaron la carga con la que bajaba del monte. De los tres hombres que lo acompañaban, gente en la que confiaba, a la que le pagaba bien, nunca se volvió a saber nada.

En el sepelio ya se maliciaba quién podía haberlo matado. A uno de los primos le cargaron el muertito. A aquel primo, mejor no digo nombres porque es gente de aquí, donde todos somos familia, también lo mataron. Nunca habíamos visto algo así por estos lugares. Hubo mucha saña, mucho rencor. Le cortaron la mano derecha. Dijeron que lo habían torturado. La venganza.

No fue el último muerto, hubo otros siete, todos asesinados; a tres los encontraron juntos de camino a Tlapa, en una de las camionetas de la familia. Por aquellos días no había paz. Teníamos miedo. Un día vinieron a hacer preguntas unos hombres que dijeron que eran de la ministerial y luego se fueron para no volver. También llegaron muchos soldados y acamparon en la huerta. Nosotros teníamos cada vez más miedo.

Lo que cuentan que pasó después, cómo por fin las cosas se enfriaron, cómo se terminaron las muertes, tiene que ver con el dinero. A los verdaderos dueños del negocio no les convenía tanto muertito, por eso buscaron cómo remediar lo que había pasado. Dicen que amenazaron a todos los que por aquí se dedicaban a sembrar maíz bola con ya no comprarles. Sobraba goma y en otros pueblos de seguro la iban a conseguir más barata. Como ya venía la época de lo que podemos decir es la cosecha, les convino calmarse, guardar rencillas y rencores para después.

El maíz bola se empezó a cultivar por aquí cuando el Ejército vino a buscar guerrilleros. No había entonces persecución, ni helicópteros, los soldados no incendiaban los cultivos. Era fácil vender la goma; dicen que un general la compraba, que hacía negocio con la amapola y la mariguana. Los caciques fueron los primeros que se beneficiaron de eso. Con ese negocio los ricos se hicieron más ricos. Ésos son tan ricos que se fueron de estos pueblos hace mucho tiempo.

Me contaron que allá por esos años, hace más de treinta, los soldados cuidaban los sembradíos. No sé si sea cierto o sean mentiras. A ese general lo mataron o lo metieron a la cárcel. No se sabe qué pasó con ese hombre que por aquí debe muchas vidas.

Después de los muertos de aquella familia, nosotros entendimos que el maíz bola daba fruto de muerte. Muchos dejaron de sembrar. En otros lugares no les importaron las desgracias. Más por necesidad que por ambición, aquí muchos siguieron sembrando.

Así es. Si el kilo de maíz cuesta diez, por decir algo, el de goma cuesta cien. El maíz ya ni se da, las tierras están tristes de tan trabajadas, los químicos que les echaron por tanto tiempo las enfermaron. No hay remedio, ni hay dinero.

Hubo un general, otro general de los muchos que han pasado por aquí, que llegaba a un pueblo cercano donde todavía se siembra mucha amapola y lo invitaban a comer, mataban un chivo para él. Le hacían fiesta, había borrachera. Le daban dinero y todos seguían contentos. Para eso sirve el maíz bola, para las borracheras y nada más.

Todavía hoy los de ese pueblo se arreglan con quien haga falta. Hacen buenos negocios, ganan mucho dinero, pero no les sirve para nada. Están peor de pobres que nosotros.

Aquí no hay casas grandes, ni buenas camionetas; el negocio del maíz bola lo hacen otros, para otros son los dineros. Aquí somos esclavos, nada más eso; muchos trabajan y trabajan para ganar poco.

Las películas y la música le enseñaron a la gente lo malo. Nadie de los que se metieron a sembrar y vender pudo mejorar su casa. Se lo gastaron todo en borracheras. De esas películas siempre hay en la tienda y la farmacia.

Películas de narcos. También venden muchos discos de narcocorridos.

El maíz bola trajo la discordia entre las familias, la amargura a este lugar, quien más quien menos, todos perdimos. A mi hijo más grande también lo mataron.

Las borracheras y nada más, para eso les sirvió lo que ganaron. Los pobres seguimos pobres. Los que venían aquí por el producto son los que ganaron mucho dinero, y siguen ganando.

Cuando ya está listo, en los meses en que se raspa la planta, pagan la mitad de lo convenido y hacen los descuentos de lo que se prestó para mantener el sembradío. Venden las armas y prestan para todo lo demás; la única condición es que al final no haya traiciones, que sea venda todo el producto con quien se hizo el trato. Por eso se paga la mitad por adelantado.

También han matado en los caminos a quienes se quieren aprovechar de lo trabajado por otros y llegan a ofrecer un mejor precio a quien sembró y levantó lo que se puede decir que es la cosecha de la goma.

Todo está controlado, está garantizado que los kilos de goma lleguen a Tlapa sin problemas, que después sigan su viaje rumbo al norte. Aquí se entrega y nada más. Por eso pagan poco. Las verdaderas ganancias están lejos de aquí, los dueños del negocio ni se imaginan en qué pueblos miserables se reparten las migajas de sus ganancias.

El negocio del maíz bola está lejos de la pobreza de nuestra tierra.

Los hombres que siembran la amapola viven y mueren entre nosotros, sumidos en la miseria. Les compran al precio que quieren el kilo de goma.

Desde que en este pueblo se siembra el maíz bola ha habido rutas para bajarlo. Hay muchos caminos y muchas maneras. Los viejos lo supimos, lo vimos. Está todo arreglado y es fácil. Usan los camiones donde se reparten refrescos, los de la venta de las papitas fritas. Esos camiones recorren las brechas, van y vienen por todas partes. Es sólo cosa de poner el producto en alguno de los pueblos más grandes. Después no hay problema.

Quién se ha enterado alguna vez de que en las brechas y los caminos de por aquí hayan detenido un camión de ésos con los kilos de goma que bajan de las montañas…

Fueron muchas muertes, familias que terminaron muy mal. El maíz bola aquí causó mucho mal. Los pocos dineros que llegaban eran para cada vez menos personas. El Ejército nos perseguía. Teníamos muchos problemas. Muchas muertes. Los robos de la mercancía lista para venderse, los de las mangueras para regar las matas cuando hacía falta. Mataron peones, cuyos cuerpos se quedaron allá, lejos en el monte. No hubo quien los bajara, aunque sus familiares los reclamaron.

Nada de beneficios para el pueblo, sólo el miedo de

que cualquier día llegara el Ejército y se llevara a todos los hombres.

Por ese tiempo muchos hombres ya migraban, a Culiacán, a Sayula, a donde podían. Luego se fueron familias enteras.

El maíz viejo, el de la verdadera vida, siempre siguió con nosotros. Nos daba de comer, nos daba la tortilla. Los que se iban de jornaleros a los campos regresaban con algo; aunque fuera poco, aquí lo hacían lucir. Lo mismo que pasa ahora. Por eso el pueblo está solo, por eso las puertas cerradas de las casas. Ahora se van las familias y a veces ya ni vuelven, por eso nos quedamos los viejos solos.

Como ya había otro modo de vida, las autoridades de entonces, hace cinco o siete años, no sé cuánto, el tiempo de los viejos es otro, se va muy rápido, esas autoridades tuvieron la idea de prohibir el cultivo del maíz bola entre nuestra gente.

Por eso hubo muchos problemas. Había a quienes el negocio daba para vivir, pero era un engaño, habían sufrido demasiado. Además de los muertos en las familias, hubo a quienes los encarcelaron. Los soldados se llevaron a varios de los hombres. Las mujeres tenían que irlos a ver al penal de Acapulco. Era muy triste, todo eso tenía que acabarse. Por eso en una asamblea se decidió prohibir el cultivo, no más siembra de amapola por la gente de este pueblo; aunque lo hicieran lejos de aquí, el sufrimiento era para todos.

Los dueños del negocio amenazaban y sus enviados armados decían que muchos iban a caer.

De qué iba a vivir este pueblo, todos se iban a ir antes que morirse de hambre, y eso sí resultó cierto.

Hubo más muertos y tuvimos miedo. Entonces uno de mis hijos se fue; le pagamos al coyote que lo llevó hasta la frontera de Sonora y cruzó para el otro lado.

A un muchacho, mi ahijado, también lo mataron. Dijeron que así le iba a ir a los pueblos que no cumplían sus compromisos.

Nosotros lo decidimos y así tenía que ser, aquí se dejó de sembrar el maíz bola. No queríamos regar más la amapola con nuestra sangre. No queríamos que otros ganaran mucho dinero y nosotros siguiéramos siendo pobres.

■

CONOZCO LA REGIÓN de La Montaña en Guerrero. He recorrido en varias ocasiones sus caminos y he conocido a la gente de sus poblados. La pobreza ha obligado a muchos a dedicarse a la siembra y la cosecha del llamado "maíz bola". Alguna vez tuve la oportunidad de que una mujer del pueblo me contara en qué época se inició el cultivo de la amapola y quiénes llevaron las primeras semillas a la zona, una de las mayores productoras en el continente americano.

Abel Barrera, de Tlachinollan, organización civil que busca la defensa de los derechos humanos, ha conversado conmigo un par de veces sobre la manera en que opera el negocio de la siembra y la cosecha de amapola en el estado de Guerrero.

Sobre lo que aquí se narra hay constancia en una entrevista grabada, realizada en alguno de los poblados de La Montaña.

Intriga en la frontera

I

EL HOSPITAL CENTRAL estaba tomado por la policía y el Ejército. Mientras grupos de hombres armados resguardaban las entradas y las salidas, en las esquinas más próximas vehículos de asalto cerraban el paso al tránsito. Había corrido el rumor de que un comando iría a rematar a Diana Hernández, la periodista que dos días antes había sido atacada al entrar a la XKLN, donde conducía el programa *Red de emergencia*.

Al cuarto para la una de la tarde la periodista bajó de su automóvil. Tenía cuarenta y cinco minutos para organizar la información del día y entrar al aire. Había mucha tensión desde la ejecución de Fernando Cantú, secretario de Seguridad Pública del municipio.

Nadie vio. Nadie quiso ver nada. Los posibles testigos sólo oyeron los disparos. El vigilante Juan Chávez declaró que no se encontraba en su lugar; Ernestina Suárez, la recepcionista, dijo que estaba distraída revisando la lista de personas que esa tarde visitarían la estación.

De acuerdo con la versión oficial, que la policía ministerial filtró a algunos periodistas y luego se dio a conocer en un boletín de prensa, cuando Diana Hernández salió de su coche un hombre se le acercó y le disparó dos veces. La primera bala le perforó un pulmón. Ella cayó, y entonces "el hombre armado", como lo describió el boletín de prensa, le disparó en el rostro, causándole graves heridas. En el boletín se mencionó al doctor Melquiades Hermosillo, encargado de urgencias del Hospital Central, quien señaló que las lesiones de la periodista eran mortales. Muerte cerebral, una agonía que nadie sabe cuánto tiempo puede prolongarse.

El rumor de que iban a rematar a la periodista surgió desde que ésta llegó, aún con vida, al Hospital Central. El mensaje era claro: Diana Hernández tenía que morir. Los responsables de los accesos al hospital eran policías federales, muchachos morenos, de origen humilde, muchos de ellos dados de alta en el Ejército, convertidos en policías ante el poderío de las armas del narco.

Los militares habían tomado posiciones con un par de vehículos de asalto en las inmediaciones de la calle Independencia. La amenaza de ataque de un comando tenía nerviosos a muchos. Dos francotiradores estaban apostados en lo alto del edificio de enfrente, de tres plantas, que albergaba departamentos y oficinas.

El Hospital Central tiene fama de ser el mejor de la

ciudad, el más moderno de la región. Especialistas de ambos lados de la frontera atienden enfermos dispuestos a pagar en dólares consultas o intervenciones en sus sofisticados quirófanos.

A pesar del despliegue de hombres armados con metralletas y R15, el acceso al hospital no estaba restringido. Cualquiera podía entrar y salir, cruzar la recepción, tomar el elevador y llegar al séptimo piso, el de terapia intensiva, donde Diana Hernández libraba la batalla que según los pronósticos médicos ya tenía perdida.

Era cuestión de paciencia y una buena dosis de suerte. Al salir del elevador había que mostrar seguridad para pasar libremente junto al módulo donde las enfermeras y los médicos llevaban el control de los pacientes graves. Luego había que seguir de frente y mostrar aflicción ante los familiares de alguno de los enfermos. Dos muchachos aburridos y callados, armados con metralletas, custodiaban el cuarto donde debía estar Diana.

No fue difícil llegar hasta allí y mirar de reojo la puerta entreabierta. Descubrir a una señora sentada, con un rosario entre las manos; ver de lejos que vestía de negro. El aparatoso despliegue de vigilancia del exterior se reducía en el interior a un par de policías cansados de la tediosa misión de resguardar el cuarto de una mujer sin esperanza. La muerte cerebral no tiene remedio.

Tocar la puerta del cuarto de enfrente sin obtener respuesta. Los guardias miraron al sujeto de rostro desencajado que seguramente visitaba a su padre. Volver a tocar antes de decidirse a entrar y descubrir a un anciano conectado a un aparato lleno de cables y luces. Quedarse un rato, presenciar la agonía de aquel hombre abandonado en esa cama de hospital.

Nada pasó del otro lado de la puerta, que el sujeto dejó abierta después de entrar. Los guardias permanecieron callados. El encierro de los hospitales es peor que el de las cárceles porque diariamente paga una cuota de dolor y muerte. A pesar de los cuidados, el anciano estaba condenado a no levantarse jamás.

De pronto ocurrió. La mujer de pantalones y zapatos negros salió del cuarto de enfrente. Sin pensarlo la seguí por el pasillo. Se detuvo en el elevador. Me acerqué y la miré mientras esperamos a que se abriera la puerta. Debía ser la madre de la periodista. La tristeza provoca esa suerte de distancia; el mundo de los otros, más allá de la propia tragedia, es apenas una referencia de mínimo significado.

La mujer llevaba el rosario en una mano, sin perder la cuenta de las oraciones para pedir un milagro. En cuanto entramos al elevador le pregunté si era la madre de Diana Hernández.

Sin dudarlo respondió que sí.

Le comenté que era periodista, que venía del Distrito Federal y que deseaba conversar con ella.

Me miró con extrañeza, sumida en su peculiar lejanía.

Insistí en que el atentado contra Diana no debía quedar impune.

En cualquier momento el elevador podía detenerse y yo perdería la oportunidad de hablar con ella si alguien más entraba. O la mujer podía oprimir un botón y bajar en cualquier piso. Por eso me apresuré a preguntar:

—¿Quién le disparó a Diana? ¿Por qué trataron de matarla?

Respondió en voz baja, como si temiera que la oyeran:

—No puedo decir nada. No quiero decir nada. Tengo miedo. Mucho miedo.

La policía federal había llegado a la frontera tres semanas antes del ataque sufrido por Diana Hernández. Desplegó a más de trescientos hombres para recuperar el control de la ciudad, que había sucumbido ante el crimen organizado. Las ejecuciones ocurridas en los últimos tres meses, durante los cuales se recrudeció la violencia debido a la disputa por el dominio de la plaza, sumaban más de cincuenta. Nadie estaba a salvo, ni siquiera los altos mandos de la policía. El poderoso comandante Fernando Cantú había sido "levantado" con todo y su escolta. Su cuerpo apareció tres días después en una brecha, cerca de una montaña de basura. Mostraba huellas de tortura y el tiro de gracia.

Pero no se trataba de una ejecución más. Cantú era secretario de Seguridad Pública del municipio. En especial, era responsable de vigilar la ciudad fronteriza más cercana al Golfo de México, un enorme almacén y lugar de tránsito en las rutas del narco. Una plaza clave para el cártel del Golfo, y uno de los puntos estratégicos disputados por el cártel de Sinaloa.

El gobernador de Tamaulipas solicitó que el general Alejandro Ávila, que había participado en varios operativos en la frontera sur, encabezara las acciones de la Policía Federal Preventiva en la frontera norte.

Como militar en activo, Ávila había estado asignado a Guerrero, en la zona de Filo Mayor, donde se cultiva mariguana y amapola. Allí dirigió las labores de erradicación de droga. A principios del nuevo sexenio, el general fue adscrito como uno de los mandos de la Policía Federal Preventiva.

Ávila desplegó las fuerzas federales en la ciudad y estableció retenes con la policía municipal y los agentes de la ministerial. Asestaron algunos golpes al narcomenudeo, hubo unos cuantos detenidos y armas incautadas. Por las noches los federales patrullaban el centro o la franja fronteriza de la ciudad, donde cualquiera podía contar una historia de la violencia sufrida, donde por la madrugada las familias de ciertos barrios residenciales habían oído más de una vez ráfagas de ametralladora o se habían levantado con la noticia de que algún vecino había sido ejecutado.

El narco imponía su ley. Los comerciantes del mercado de artesanías del centro eran extorsionados, lo mismo que los dueños de bares y antros cercanos a la frontera. Los pequeños empresarios temían ser secuestrados por los propios policías municipales que —todos lo sabían— estaban al servicio de los del Golfo y los Zetas.

Los muertos aumentaban y a nadie parecía importarle. La guerra era pan de cada día en esa ciudad donde los operativos y los retenes de los federales ya eran parte del paisaje urbano.

Fue entonces cuando "levantaron" al comandante Cantú.

La violencia se origina en la disputa por el negocio del narco. Ese negocio marcha gracias a una maquinaria cuyo principal aditivo es la corrupción.

Tan sólo tres días después de la muerte del comandante Fernando Cantú, agentes de la policía ministerial detuvieron a dos hombres como supuestos responsables de su "levantón" y homicidio. Los detenidos fueron mostrados a la prensa en las instalaciones de la policía municipal, en una sala de juntas aledaña a la oficina que la víctima había ocupado durante poco más de dos años. Todo fue muy rápido. Sólo se convocó a media docena de reporteros y fotógrafos. El licenciado Alfredo Macías, titular de Comunicación Social de la presidencia municipal de la ciudad, se encargó de dar a conocer a los detenidos. A los reporteros convocados no les sorprendió que ningún mando policial estuviera en la conferencia de prensa. Nadie de la policía ministerial, ni de los municipales y menos aún de la Policía Federal, instalada en la ciudad con sus trescientos hombres.

Una hora más tarde, a las seis en punto, Diana Hernández abrió su programa *Red de emergencia* de la XKLN refiriendo la captura de los asesinos del comandante. Ella tenía información privilegiada sobre los sicarios. Venían del sur, eran gente de los famosos Pelones, grupo armado de la Barbi; sujetos peligrosos y presuntos autores de una serie de homicidios y secuestros. Con su aprehensión, la policía ministerial había dado un certero golpe al crimen organizado. Diana dedicó más de cinco minutos a la noticia, durante los cuales no le pasaron las habituales llamadas de los radioescuchas que se quejaban de diversos problemas, como fugas de agua, postes de luz en mal estado, abusos policiacos o la apertura de una nueva tiendita de narcomenudeo.

Para cerrar el programa, uno de los más escuchados de la XKLN, Diana Hernández presentó una encuesta realizada entre comerciantes, vecinos, empleados, profesionistas; hombres y mujeres de diferentes edades, quienes hablaron sobre los operativos de la Policía Federal Preventiva. Fueron tantas las quejas por las arbitrariedades como por la ineficacia de los retenes. La periodista cerró la emisión con un comentario que escuché en la cinta que me dio Nacho Islas, jefe de información del programa de Diana, el cual salió del aire después de su muerte:

"Me despido de ustedes con la siguiente reflexión: el general Ávila y sus trescientos policías preventivos vinieron a la ciudad a provocar. Como dice la gente sencilla, como usted y como yo, nada más vinieron a agitar el avispero. Mañana nos escuchamos a la misma hora en esta *Red de emergencia.*"

El corresponsal del diario en que trabajaba envió la información. Los dos detenidos por el homicidio del comandante Fernando Cantú, secretario de Seguridad Pública, convocaban a una conferencia de prensa dentro del penal de La Joya. No podía faltar, así que viajé esa misma noche. Cuando llegué a la ciudad, luego de un vuelo tranquilo, hacía frío y lloviznaba. Elegí un hotel en el centro, modesto y discreto. No llamé entonces al corresponsal, a quien sólo conocía por sus notas. Contactar a algunos colegas metidos en la zona de guerra puede ser peligroso.

Al otro día llegué temprano al penal de La Joya, donde todo estaba muy bien organizado. Custodios del penal conducían a los periodistas a un pequeño auditorio que quizá se usaba para actividades que parecen absurdas para la mayoría en la vida carcelaria, como el festival del Día de las Madres o los cursos de superación personal. Había cámaras de televisión y una docena periodistas de ambos lados de la frontera. Una conferencia de prensa convocada por dos sicarios. Un hecho inusitado.

Como lo mejor era pasar inadvertido, busqué confundirme entre los equipos de las televisoras y me senté en un lugar cerca de un par de cámaras junto a la primera fila. Allí estaba Diana Hernández, una mujer cuarentona, de pelo teñido de rubio, a quien no conocía. Ella, en cambio, sí parecía conocer a la mayoría de los periodistas convocados.

El director del penal de La Joya, el licenciado Sánchez, tomó el micrófono y agradeció la asistencia de la prensa. Alguien había dejado correr el rumor de que ese par de hombres, turbados por el miedo, iban a revelar la corrupción de altos mandos policiacos.

Sólo uno de ellos habló y lo hizo de prisa; leyó con dificultad lo que de seguro otra persona había escrito en el papel que tenía entre las manos. El hombre, de aspecto común, treinta años, robusto y con una barba de tres días, se acercó al micrófono cuando el director del penal se lo ordenó. Desde mi lugar, me percaté de que el hombre temblaba. Tragó saliva antes de empezar a leer.

Por un momento pareció que no diría nada, que se había arrepentido. Encendí la grabadora después que murmuró "buenos días".

"Quiero aclarar que estoy aquí por mi propia voluntad y riesgo, nadie me obligó a declarar ante los medios lo que voy a decir. Desde hace tres años fui reclutado por la gente de Sinaloa. Era policía municipal en Guasave. Hoy me pagan cien dólares a la semana. Obedezco órdenes directas de Siete-cuatro. Somos de la policía mundial. La policía mundial ejecuta y secuestra. Nos encargaron un trabajo, al principio nos dijeron que era como muchos de los que habíamos hecho antes. Luego nos enteramos que era algo delicado. Le íbamos a pegar al comandante Cantú. Había mucho dinero. Lo teníamos que hacer pronto. Gente de la misma Federal Preventiva nos dio la ubicación del comandante. Ellos lo planearon todo, pusieron dos retenes como muro para que pudiéramos actuar."

El hombre titubeó. Por un momento dio la impresión de que no podía continuar. El otro sicario palideció.

"El Siete-cuatro nos dijo que quien ordenaba la muerte de Cantú era el general Alejandro Ávila, por eso todo iba a estar bajo control. Pensé que Ávila iba a ser el nuevo jefe, que el golpe a los de la municipal iba a ser definitivo. Lo tenían todo arreglado, uno de los escoltas de Cantú esa noche lo puso. Nosotros éramos cuatro. Llevamos al comandante a la localización, al lugar donde nos indicaron, aquí mismo en el centro de la ciudad, ahí lo entregamos. Dos días después me enteré de que había aparecido el cuerpo. Nosotros no matamos al comandante, ni lo torturamos."

Un silencio pesado y tenso se dejó sentir en el auditorio. El sicario había denunciado al principal mando de la Policía Federal Preventiva como responsable de la muerte del secretario de Seguridad Pública.

El director del penal, al que tiempo después también asesinaron, tomó el micrófono y anunció que no habría espacio para preguntas por lo delicado de las revelaciones de Álvaro López, acusado, junto con Mauricio Sánchez, de dar muerte al comandante Fernando Cantú.

El general Alejandro Ávila había desaparecido. En las oficinas de la Policía Federal Preventiva, instaladas en una bo-

dega que proporcionó la presidencia municipal, nadie sabía nada del jefe de la operación de los trescientos policías
federales enviados a controlar la frontera. En el hotel donde se hospedaba, el mejor de la ciudad, había una suite a
su nombre, pero la muchacha de la recepción juraba no
haber visto al militar ni a sus hombres desde la noche an-
terior a la conferencia de prensa.

En cuanto pude envié al diario la crónica de la denuncia hecha en el penal. Al cabo de media hora, Tomás Pé-
rez, el corresponsal, me llamó a mi teléfono celular. Nos
encontramos fuera de mi hotel. Lo más seguro para hablar
tranquilos era caminar sin rumbo por las calles del centro
de la ciudad. Tomás estaba nervioso, sabía bien que la vida
de un periodista vale muy poco para los malos de la película. Lo mejor que podía hacer, me dijo, era informar de
manera escueta lo ocurrido en la conferencia de prensa e
irme. Irme pronto.

—Pasan de la dos de la tarde y el próximo avión vue-
la a México a las siete de la noche, todavía tienes tiempo
—señaló antes de despedirse a la vuelta del hotel.

Mientras preparaba la maleta, pensé que esa historia
estaba inconclusa. Después de que el general Ávila y sus
huestes arribaron a la ciudad el número de ejecuciones
aumentó. La muerte de Fernando Cantú había calentado
más el ambiente. Ahora los supuestos homicidas denuncia-
ban haber actuado bajo la protección de Ávila.

Los del Golfo y su ejército de Zetas no querían al general en la plaza. Según las denuncias, la información que

corría en las calles y lo poco que me pudo decir Tomás, la policía municipal estaba bajo el control de los Zetas, aunque la actual guerra la habían desatado los pelones de la Barbi, pandilleros convertidos en sicarios al servicio del cártel de Sinaloa. Era difícil saber cuántas bajas había sufrido cada uno de los grupos enfrentados en las calles y los barrios de la ciudad. Los sicarios son nadie y nadie reclama sus cuerpos.

Tomás me lo dijo:

—Aquí va a haber más muertos.

Terminé de empacar, pero en vez de ir al aeropuerto tomé un taxi y me fui a otro hotel.

Ese día transcurrió muy despacio, tenso, aunque era un día común para muchos en la frontera; la vida parecía seguir su curso normal. Al anochecer todo parecía tranquilo, pero la disputa por la ciudad vivía uno de sus momentos más álgidos.

Podía pasar cualquier cosa. Me preguntaba quién sería el siguiente muerto. Alguien de peso en los ejércitos clandestinos confrontados iba a caer. Quizá el propio Ávila, como una advertencia clara de que los del Golfo no iban a ceder ante ninguna intimidación. Una demostración de poder y violencia.

Era triste pronosticar los efectos del enfrentamiento que se vivía entonces. El siguiente muerto también podía ser alguien ligado a los del Golfo. Uno de sus protectores, una pieza clave en la red de corrupción con la que controlaban aquella estratégica plaza en la frontera.

Tomás llamó de nuevo a mi celular. Era de madrugada, tardé en responder, en dar con el teléfono que había dejado sobre el buró.

—Mataron a López, el tipo de la conferencia de prensa de ayer.

Lo habían apuñalado en su propia celda.

La siguiente víctima en esa ola de violencia fue Diana Hernández. La periodista que sufrió un atentado minutos antes de entrar al aire, cuando llegaba a las instalaciones de la XKLN, sólo dos días después de la muerte del sicario ocurrida en la zona de alta seguridad del penal de La Joya, reservada para narcos *pesados* y policías acusados de corrupción.

II

Pedro Díaz vive en un modesto departamento, en el edificio H interior 7, de un conjunto de edificios construidos por el Infonavit a las afueras de la ciudad. Estudió periodismo, pero su verdadera vocación es la literatura. Escribe cuentos de humor negro y ciencia ficción. Piezas de ambientes y personajes sórdidos, como él mismo. Vive solo. Creció oyendo a Nirvana y le gusta vestir de negro. Me invita un café cargado y sin azúcar.

—Ese día abrí el programa con la noticia más triste que me ha tocado decir frente al micrófono: "Diana Hernández, la titular de este espacio, sufrió un atentado. La atacaron hace unos minutos cuando llegaba a la estación como cada tarde para estar con ustedes en esta *Red de emergencia"*.

Tomás me dio el número del teléfono celular de quien era "jefe de información, reportero, asistente y productor" del programa de Diana Hernández. Me advirtió que no había querido hablar con nadie y que tal vez ya se había ido para el otro lado de la frontera, donde tenía familia.

—Sí me dio miedo, después de lo que le pasó a Diana podían ir contra mí. Nuestro programa era muy escuchado. Recibíamos docenas de llamadas en la hora que estábamos al aire y luego toda la tarde. La gente no tiene dónde quejarse y nosotros pasábamos sus reclamos con teléfono abierto. Diana tenía siempre información. Sus fuentes eran muy buenas, muchos amigos suyos le pasaban *tips*.

A Pedro le cuesta trabajo hablar conmigo; al principio sólo dice frases cortas y evasivas. A su dolor de lo sufrido por Diana se suma una buena dosis de miedo. El miedo a morir enmudece a cualquiera.

—Te voy a decir por qué acepté platicar contigo. Estoy harto del cerco informativo que la prensa y la radio han impuesto sobre lo que le pasó a Diana. La atacaron para sembrar el terror, para silenciarnos, y lo han logrado. Diana era muy conocida, fue la encargada de comunicación social, la jefa de prensa de la presidencia municipal, por casi diez años. Tenía muchos conocidos y contactos. Esos contactos los aprovechaba, sabía aprovecharlos y nada más.

Pedro recuerda que esa semana, la del ataque, fue difícil. El gerente de la estación estaba preocupado y habló con ellos. Diana intentó tranquilizarlo, todo volvería a la calma. Insistió en que debían sacar al aire las denuncias contra la Policía Federal Preventiva.

—Hay otra muerte significativa, que nadie relaciona con lo que está pasando. Mataron al abogado Jesús Ríos. Ese abogado era amigo de Diana, se conocían desde hacía muchos años. El abogado Ríos era un abogado de narcos y aquí todos lo sabían. Después de que dimos la noticia de su muerte el propio comandante Cantú le tomó una llamada a Diana para decirle que ante ese crimen la policía iba a ir hasta las últimas consecuencias. Así lo dijo, hasta las últimas consecuencias.

Pedro no niega que en *Red de emergencia* habían montado una campaña en contra del operativo de la Policía Federal Preventiva en la frontera. Diana le había dado instrucciones para armar una agenda de los abusos y las quejas de la gente por los retenes. Me enseña el registro que llevaba: había enumerado más de trescientos abusos.

—Eso fue sólo en las primeras semanas. Lo más frecuente eran las amenazas y los intentos de extorsión. Detuvieron a gente con falsos cargos; según los reportes que teníamos, los acusaban de posesión ilegal de armas y de delitos contra la salud. Diana decía que eso era una bomba que en cualquier momento podía estallar. Le dimos una copia de este informe al comandante Cantú.

Cuando le pregunto a Pedro sobre los efectos de los operativos de la Policía Federal Preventiva en la ciudad, esboza una amarga sonrisa. La sonrisa de alguien a quien le toca hacer el recuento de los daños.

—Todo esto es resultado de los operativos, primero llegó la gente del Chapo y se soltó una racha de ejecuciones. Luego siguieron los "levantones". A muchos les estaban cobrando derecho de piso para operar. Nosotros fuimos cautos con esa información. Después llegó el general Ávila con el operativo y se recrudeció la violencia, que culminó con los atentados en contra del comandante Cantú y la propia Diana.

De la muerte de Álvaro López, el presunto homicida de Cantú, Pedro tiene muy poco qué decir. Al otro día del atentado contra Diana el gerente lo mandó llamar: *Red de emergencia* salía del aire. Desde entonces ha preferido aislarse, se siente mal, defraudado. Ni siquiera tuvo fuerzas para ir al hospital a ver a Diana.

—No sé que pensar de lo que pasó. Cuando mataron a Cantú para nosotros fue muy difícil. Era nuestra principal fuente, era amigo de Diana. Se conocían desde que ella trabajaba en prensa de la presidencia y él era un mando medio en la policía municipal. No creo que ella haya tenido más información sobre quiénes mataron al comandante. Voy a ser sincero, a mí me parece que a esos infelices les están cargando el muerto. Perdón, estoy hablando de más.

Una pregunta resulta clave:

—¿Qué pasó con Diana después de la muerte del comandante Cantú, su principal fuente de información?

—Estaba dolida, además de muy preocupada. Te dije lo

de la muerte del abogado Jesús Ríos. Todos sabían que ese señor trabajaba para el cártel del Golfo, que les administraba negocios y les lavaba dinero. Diana fue la primera en dar a conocer que los sicarios que mataron a Cantú habían sido detenidos. En el programa de esa tarde dijo que eran gente de la Barbi, de quienes habían llegado a la ciudad a sembrar el terror. Quizá no deba decírtelo, pero igual te lo va decir alguien por ahí: fue Diana quien organizó la conferencia de prensa en el penal.

Pedro Díaz no tiene facha de periodista, ni de jefe de información, menos de productor de un programa de radio de nota roja. Usa el pelo largo, amarrado en una cola de caballo que le cae a media espalda; lleva barba y gruesos lentes de desvelado lector. Debe ser más joven de lo que parece. Antes de que concluya la entrevista se levanta del sillón que ocupa en la estancia y entra a la única recámara de su pequeño departamento atestado de libros y periódicos. Regresa con una colección de discos compactos de grabaciones del programa.

—Cómo te imaginarás, las más interesantes son las últimas.

III

El escolta, el teniente Ríos, yace muerto a mi lado. Un intenso dolor en el pecho me asfixia. La sangre que me escurre por la frente me impide ver con claridad. Estoy tendido bajo del asien-

to, donde me refugié durante el ataque, poco antes de la explosión. Todavía escucho tiros, ráfagas de metralleta. Los hombres que resisten no podrán hacerlo por mucho tiempo. Trato de moverme, de bajar de la camioneta, pero estoy atorado con algo de lo que no me puedo liberar. El parabrisas está astillado y el tablero de la camioneta hecho pedazos. En cualquier momento llegarán hasta aquí, a darme el tiro de gracia.

Nadie va a venir en nuestra ayuda, ni el Ejército, menos la policía municipal. De seguro todo estaba arreglado. Iba a pagar el precio. Tres semanas antes había llegado a la ciudad con un despliegue de fuerzas. Trataba de mostrar el músculo, de hacerle ver al enemigo nuestra capacidad. Ellos respondieron con más muertos. Los retenes y los golpes al narcomenudeo los cimbraron. El mensaje era que habíamos llegado para quedarnos.

Parece que han cesado los disparos, no escucho ya el tableteo de las ametralladoras, sólo es cuestión de tiempo. Quisiera que fuera como dicen, recordar mi vida, ver todos los días de mis cincuenta y cinco años de golpe para después morir tranquilo. Estoy seguro de que todo acaba aquí, ni Dios, ni diablo, ni Paraíso, ni Infierno. Las culpas que tengo, lo que debo, lo pago aquí con este dolor, con este miedo a morir. Cierro los ojos, quisiera que todo terminara de una vez.

Sólo recibía órdenes, alguien de muy arriba pactó. Lo que me quedaba, lo único que podía hacer era imponer condiciones, marcar las reglas del juego y dejar sentir mi autoridad. Por eso los golpes a las "tienditas" y los retenes. Claro que sabía que iban a responder, pero jamás esperé que la policía municipal nos amenazara y, lo peor, que cumpliera sus amenazas.

No tenía por qué aguantar la campaña que montaron en los medios, por eso a los dueños de los periódicos y las radiodifusoras los puse en su lugar. Nada de crear un ambiente de hostilidad hacia nosotros. Nada de seguir con eso de las denuncias por los abusos en los retenes, con las mentiras de las falsas acusaciones y la bandera de los derechos humanos. Se los dije con toda claridad a todos, para mí, un militar, la ciudad vivía un escenario de guerra y yo tenía instrucciones de retomar el control, de restablecer la ley, así que ellos, la gente de los medios, tenían que tomar partido. Estaban con nosotros o con ellos.

En cualquier momento alguien se va acercar, saben bien quién soy, me tienen ubicado. Para eso me sirve la experiencia, para explicar lo que pasó, para tratar de saber el origen del estallido que volteó la camioneta, una camioneta blindada. La explosión la pudo ocasionar una bomba colocada bajo la carrocería o el disparo de una bazuca o un lanzacohetes. Hemos decomisado armas como ésas, su armamento es superior al nuestro y saben cómo usarlo.

Lo primero fueron las amenazas, más allá de interferir en nuestra frecuencia de radio y retarnos, los anónimos aparecían en cualquier parte, hasta en la cama del cuarto del hotel donde me hospedaba. Luego vino la muerte de varios de nuestros informantes, tres en menos de una semana. Estaba preocupado, muy preocupado. La campaña en nuestra contra seguía en la prensa y la radio. Todo se sabe, Diana Hernández, esa mujer, era la encargada de repartir el dinero y tirar línea a los demás.

Ejecutaron al abogado y luego al comandante Cantú, me dijeron que con eso era suficiente. Era cuestión de tiempo. La es-

trategia fue seguir golpeando, golpes secos y certeros. Tenían que seguir los retenes y el desmantelamiento de las narcotienditas.

Fue entonces cuando ellos armaron el "choucito" de los detenidos, esa conferencia de prensa en el penal. Lo primero fue cobrársela a quien se había atrevido a ir en contra del prestigio de un general. El hombre que usaron era un vicioso al que se le apareció la muerte esa misma noche. Sobraba quién hiciera el trabajo. Lo de la periodista se tomó un rato más.

¿Por qué no pienso en mi familia, por qué no los recuerdo?

El miedo a morir me hace temblar, tengo los ojos cerrados, no me atrevo a abrirlos, a encontrarme de nuevo con el cadáver de Ríos frente a mí, anunciándome mi próximo futuro. Ya estoy muerto.

IV

"El general Alejandro Ávila murió víctima de un atentado. Un comando armado integrado por varios automóviles y camionetas atacó la caravana de la Policía Federal Preventiva en una de las principales arterias de la ciudad. En el enfrentamiento fueron usados lanzacohetes. Además de Ávila, murieron otras diez personas, entre ellas cuatro que circulaban por la avenida Río Nilo, donde sucedieron los hechos. Hubo más de una docena de heridos, entre policías y gatilleros."

El boletín de prensa emitido por la presidencia municipal para informar de lo ocurrido, uno de los enfrenta-

LA REINA DEL PACÍFICO

mientos más violentos en la historia de la ciudad, insistía en su último párrafo en la inmediata salida de la Policía Federal Preventiva de la región. Ése fue el final del Operativo Control.

■

GUADALUPE GARCÍA trabajaba en la estación Stereo 91 de Nuevo Laredo, en el programa *Punto rojo*. Los atentados y homicidios perpetrados en contra de periodistas se han multiplicado en los últimos años. Los periodistas que con mayor frecuencia son amenazados, secuestrados o asesinados son víctimas de poderes fácticos ligados al narcotráfico.

La muerte de Guadalupe García, ocurrida el 17 de abril de 2005, tuvo como telón de fondo el enfrentamiento entre el cártel del Golfo y el de Sinaloa por el control de la plaza de Nuevo Laredo. En el atentado contra el comandante de la Policía Estatal Preventiva, Javier Núñez Razo, participó un comando de más de treinta hombres.

Parte de ese violento enfrentamiento se vivió en los medios; además de la imposición de la censura, se dejó correr la versión de que al morir García llevaba una lista de narcoperiodistas.

La gran noche de Vanesa

UNA LUZ INTENSA ilumina el escenario en forma de corazón, alrededor del cual se distribuyen las mesas de El Pirata. En el centro de ese corazón-escenario Vanesa baila desnuda. Se mueve rítmicamente, explotando su poderosa sensualidad; exhibe su cuerpo, se tiende sobre el piso y abre las piernas para mostrar su sexo. Luego se acaricia los senos y las nalgas ante las miradas que habitan la oscuridad del bar. Finge masturbarse. Termina con un ensayado movimiento de éxtasis y se levanta radiante. Las luces se apagan.

El escenario le pertenece. Con los años se ha adueñado del que alguna vez fue para ella un lugar inhóspito y extraño, lleno de luces intensas, intimidatorias. Bajo el reinado del tubo, como le gusta decir, es la *number one*.

Le cuesta trabajo dejar el gran corazón, alejarse del reflector que la acompañó en cada uno de los movimientos del final de su actuación, que aún arranca alaridos y aplausos de borracho. Mira de reojo los billetes, esta noche no se detendrá a recoger el dinero que los clientes han lanzado al escenario.

La sensacional Vanesa demostró lo que todavía es capaz de hacer, convocó los deseos de la manada. Estaba segura de que, como siempre pasaba después de subir a la pista, muchos se iban anotar en la lista de los privados. Ansiaban tocarla, sentir su cuerpo. Una pobre ilusión que para ella es la peor parte del negocio.

No va a recoger el dinero. Tampoco a subir con ningún cliente a los privados a bailar sobre su cuerpo fofo con la mente en blanco mientras esa sombra cualquiera trata de desquitar con sobadas de nalgas y apretones de tetas lo que ha pagado por tener la ilusión de poseer ese cuerpo, disfrutar de ese aroma a mujer prohibida, mezcla de sudor y perfume barato.

Vanesa mira el espectáculo del otro lado del corazón-escenario. La mayoría de los hombres en la penumbra son animales indefensos, consumidos por la soledad. Tristes borrachos con dinero.

Se da la vuelta y atrás queda esa amorfa masa de seres ajenos y distantes. Ninguno de ellos, ni de todos los que le han pagado por un privado o se la han llevado a hoteles y fiestas, la ha podido tocar de veras.

Esa noche llegó temprano. Se maquilló con calma, pues le gustaba transformarse, dejar lejos a María, la María de siempre, la que le era desconocida cuando la contemplaba

74

en los espejos. La madre de ese par de niños, Fabiola y Enrique, que no dejaba de extrañar y que le dolían.

Pero sonrió ante otro espejo, el del camerino. Esa sonrisa le había costado mucho dinero: poseía unos dientes perfectos que le gustaba mostrar. Era una mujer de ojos grandes y expresivos, piel tersa y apiñonada, facciones exóticas de modelo de revista. Era la reina y siempre lo sería, a pesar de la suciedad del lugar, de ese camerino con un enorme espejo en el que se reflejaban las sillas de plástico regaladas por una empresa cervecera y con larga barra de madera corriente empotrada sobre la pared, donde las muchachas colocaban los utensilios y las pequeñas herramientas con que lograban su fugaz metamorfosis.

Era temprano. A esas horas el camerino estaba vacío y casi limpio. Se encontraba relajada, maquillarse la hacía sentirse bien. Se tomó su tiempo, cuidando cada detalle del arreglo: la forma de los labios, la pintura de los ojos para realzar esa mirada ante la que sucumbían batallones de desesperados en busca de una mujer por la que pudieran pagar. Se retocó los hombros, las piernas, el busto y el cuello; luego se levantó de la silla y se alejó para mirarse en el espejo. Llevaba únicamente una tanga negra comprada en el supermercado. Se había despojado de la ropa de todos los días, el holgado pantalón de mezclilla, la sudadera negra que ocultaba los encantos que ahora saltaban a la vista.

Escuchó voces, alguien se acercaba. Se cepilló el largo cabello negro y se dedicó una sonrisa. Al camerino entró otra de las chicas, apenas la saludó antes de meterse al baño. Vestía ropa de calle, para ella también había empezado temprano la noche. Chole, la encargada del vestuario, la que guardaba sus ropas y les entregaba el atuendo para su actuación, aún no había llegado.

Vanesa volvió a mirarse en el espejo y con toda calma repasó los detalles de su arreglo; le gustaba hacerlo, era una especie de conjuro para dejar lejos la otra realidad, la de la urgencia del dinero, la de su soledad y la angustia por sus hijos.

La mujer recién llegada salió del baño, la llamaban Dolly y era de Sinaloa. Se veía cansada. Mencionó algo sobre un dolor de cabeza y el tráfico de los viernes por la noche. Vanesa tenía el remedio para los males de la rubia que empezaba a maquillarse: un papel con un pase de coca que le puso enfrente.

Vanesa sacó otro pase de su bolsa y sin prisa lo colocó en la mesa, para aspirar el polvo. Ni siquiera sabía cuantos jalones llevaba. Iba a ser una noche larga y necesitaba lo que llamaba su "complemento vitamínico". "Nada mejor para los sinsabores de la vida."

Siguió con el repaso de su maquillaje, con las sonrisas al espejo. Por fin llegó Chole. Aquella mujer cincuentona, de pelo teñido de rojo, llevaba toda la vida en El Pirata. Del escenario del gran corazón pasó al retiro del camerino como encargada del vestuario de las divas, como llamaba a las muchachas cuando estaba de buen humor.

Para esa noche, su gran noche, Vanesa había pensado

usar un vestido largo, escotado, de pedrería brillante sobre fondo verde y enormes aberturas a los lados. Un vestido que le quedaba untado, resaltando con irresistible sensualidad sus rotundas caderas y la fuerza de sus pechos. Esa noche tenía que lucir como la reina del lugar, la sensacional Vanesa.

Había llegado temprano para evitar que otra de las chicas eligiera ese vestido. Chole lo tomó del tubo donde estaba colgado entre mallas blancas, lencería, minifaldas y pantaloncillos, y lo puso en sus manos. Vanesa lo acarició, le gustaba pasar las manos sobre la tela, sentir la suavidad de la gasa. Se topó con un hoyo, pequeño pero visible. El vestido llevaba meses roto y a nadie parecía importarle. Chole le dio la ficha con la que tenía que devolverlo al final de la jornada. Vanesa pensó que esa noche todo iba a ser distinto y en cuanto pudo tiró la ficha, ese cartón pintado de amarillo con un número en azul que ni siquiera vio.

Las chicas empezaron a llegar. Vanesa era la dueña del secreto para que todas se sintieran mejor. A nadie sorprendió que esa noche no anotara en la libreta de secretaria que llevaba en su bolso la cuenta de la mercancía vendida.

Era noche de viernes, y después de un rato el camerino estaba repleto. Las chicas se maquillaban, se probaban los sugerentes atuendos para pasar el rato con los clientes, el vestuario para actuar en el gran corazón donde iban a quedarse desnudas y solas, pensaba Vanesa.

Antes de que el parloteo de las chicas y la música con la que pretendían alegrarse se convirtieran en un ruido vacío, de que la invadiera esa sensación de distancia ante su vida, hizo a un lado un delineador y un par de pintalabios para trazar dos finas líneas de coca sobre la barra de madera.

Otro jalón. Un jalón necesario para seguir allí, para aguantar un rato más y llegar al escenario, donde se sentía segura y se imponía, donde Vanesa era única.

Un jalón más para resistir a esa gente, a las mujeres del otro lado del espejo donde se miraba. Risas vacías y falsas, voces que sonaban a tristes graznidos de hembras agobiadas. Un jalón para dejar correr las horas, para darle a esa noche la oportunidad de ser la gran noche.

Alguien se lo había dicho, Dolly, la sinaloense, o Sherry, la argentina. Una de las muchachas, cualquiera. Tenía que bajarle al vicio. A sus hijos les hacía falta. Había dejado lo demás y el alcohol nunca le había gustado, pero la coca era su negocio. La coca siempre le infundió ganas de vivir, una alegría que no recordaba haber sentido antes.

La Chiquis, una morena altísima, metió sus largas piernas en unas pantimedias negras. De igual color era su sostén, y había elegido un pequeño vestido rojo para salir a seducir a los clientes. Su preciosa mercancía tenía dueño. Y el dueño de la morena estaba a su lado: Johana, la sensual, como le gustaba que la anunciaran. Poseía un cuerpo torneado, labrado en el gimnasio; brazos y piernas fuertes, los atributos de sus grandes senos y el rostro de niña cubierto por una suave melena oscura.

Johana se acercó a la morena de las largas piernas, le susurró al oído y le besó el cuello. Les gustaba acariciarse en el camerino, disfrutaban con exhibirse, con provocar el deseo en las demás chicas. Eran pareja, una pareja abierta y audaz. Vanesa las miró desde el fondo de su personal lejanía de la realidad. Sus juegos y caricias le removieron malos recuerdos. ¿Dónde estaría Rodrigo, el Rorris?

Al Rorris le temía, alguna vez lo amó. El Rorris y su lana. Ese afán suyo de gastarse la vida, de consumirla de golpe. Otro jalón y un pase para quien quisiera comprarlo. El Rorris le surtía la mercancía, la medicina para aliviar sus males y los de las chicas que la necesitaban. El Rorris la protegía y cuidaba el negocio en El Pirata, donde todos sabían que Vanesa era el conecte de la blanca y las pastas.

En los privados daba lo suyo a los clientes que la buscaban. El pase para el placer. Le gustaba ponerse el polvo de ángel en la palma de la mano y obligarlos a inhalar como si fueran mascotas amaestradas. Al dinero únicamente lo veía pasar, el Rorris hacía las cuentas y sólo le daba su comisión, aunque ella fuera la madre de sus hijos.

En el camerino de El Pirata, quince chicas se preparaban para salir a la venta. Vanesa sabía que le quedaban muchos años de belleza y vida, pero no los quería, estaba cansada. Otro jalón.

Se levantó del lugar donde terminaba de maquillarse,

LA REINA DEL PACÍFICO

de ungirse con pinturas, polvos y perfume. Caminó entre las chicas, quería dejar atrás la realidad de la celulitis y las barrigas y las marcas dejadas por los años y la vida sórdida de esas mujeres en las que se reconocía.

Pero esa noche no le daría oportunidad a la tristeza. Necesitaba otro jalón.

Salió del camerino para encontrase con el bar lleno. Los viernes siempre eran así, al Pirata de Acapulco, uno de los *tables* cercanos a la costera Miguel Alemán, llegaban centenares de clientes ansiosos de placer, de encontrarlo en la piel de una mujer alquilada para el privado. Ese placer animado por el alcohol y algún aditivo, como los que Vanesa ofrecía ante la vigilante mirada de los meseros. Todos estaban en el negocio. El negocio del Rorris, que de vez en cuando se aparecía por ahí o llegaba al departamento para hacer cuentas y fingir que era un padre para sus hijos.

Caminó exhibiéndose entre las mesas. Le gustaba sentir las miradas, repartir sonrisas coquetas como invitándolos al paraíso. Jugar el juego del cazador disfrazado del más preciado trofeo de la noche, porque era ella quien elegía, aunque ellos fueran los que pagaban. El Pirata le gustaba por su escenario en forma de corazón, con su tubo plateado al centro y espectaculares luces. Jamás había visto una pista así y por eso decidió que ése era el lugar para celebrar su gran noche y luego irse lejos.

Irse como tantas veces. Fue a sentarse a la barra, quería estar sola, y en cuanto se le acercó el primer sujeto, con enorme panza, calvo y de triste facha, lo alejó con su mejor sonrisa.

—Al rato, papi, al rato...

Enriquito, el barman maricón, le sirvió una piña colada, la bebida de las chicas buenas.

Irse esa noche...

La primera vez que se fue dejó atrás aquel caserío sin nombre en el sur de Jalisco, cerca de Usmajac, donde todavía viven sus padres y hermanas. La prima Toña la convenció; trabajaba en Guadalajara y le iba muy bien. Todos sabían que era mesera, pero la verdad se la contó a ella: trabajaba en un "teatrito" donde se desnudaba. Le pagaban tan bien que se iba a comprar un automóvil y tenía mucha ropa. Toña le dijo que un día iba a ser artista de televisión, a salir en las telenovelas, a casarse con un muchacho guapo y adinerado que había conocido en el "teatrito".

La prima Toña y sus sueños y mentiras. Toña y sus amores torcidos. Toña y la horrible muerte que le tocó. Fue Vanesa quien identificó el cadáver. La Toña se le seguía apareciendo en sueños, en un cajón de la morgue, con el cuello desmadejado. La ahorcaron, nunca se supo quién. Encontraron su cuerpo desnudo en un edificio en construcción en Zapopan. Después de que la mataron, siguió yendo al Divas Club el loco aquel de mirada pesada que le regalaba flores y quería casarse con ella, pero la Toña

—conocida como Madelaine— estaba terca con un narquito amigo del Rorris.

Necesitaba otro pase y fue al baño, donde volvió a pintarse los labios. Apestaba a orines y mierda, porque a nadie le importaba mantener limpio el baño de damas de un lugar como El Pirata.

Antes de volver a la barra, donde ya la esperaba otra piña colada, la llamaron de una mesa. Era un grupo, imaginó que de oficinistas que asistieron a alguna convención en la playa. Empleados de medio pelo que querían darle a su jefe el gusto de una mujer como ella. Se acercó y le sorprendió que uno de esos burócratas fugados de su escritorio le pidiera medicina. Sonrió y le dijo que para eso estaba, que le diera tiempo y arriba en los privados le daría lo que buscaba, además de una sorpresa por ser el primer cliente de la noche.

Regresó a tomarse con calma su piña colada. A los clientes hay que dosificarles el placer; aunque ellos paguen, la que manda es la que da la felicidad instantánea, la dueña de la coca y del cuerpo deseado. La *number one,* el conecte en El Pirata.

Aunque apenas llevaba un rato metida allí, ya no soportaba el escándalo de la música. Tenía que irse. El ruido era tan molesto como los abusivos y los enamorados, que no faltaban, como los celos de las otras chicas o los meseros y gerentes que se querían pasar de listos. Irse, como se fue de aquel "teatrito" para el que la Toña la convenció de trabajar. Irse.

Fue Rodrigo, el Rorris, quien se la llevó; parecía algo muy remoto, pero no habían pasado ni cuatro años desde entonces. Que el tipo que la llamó esperara, que se pusiera nervioso, que tuviera miedo de que le hubieran puesto un cuatro y le cayera un judicial para extorsionarlo. Le gustaba ver a esos clientes preocupados y tensos. Vanesa conocía muchas formas para crisparles los nervios; si sabía darles placer, encarnar ante ellos lo prohibido y lo deseado, también sabía cómo hacerles la noche imposible y al final torcerlos con una abultada cuenta de varios ceros que los ponía a temblar. Lo había hecho muchas veces, pero era tan aburrido como el juego de escuchar al solitario y consolarlo en el privado para ganarse la generosa propina del arrepentido.

Cuatro años y parecía una eternidad, vividos en las "giras" a las que el Rorris la llevaba. Del "teatrito" de Guadalajara se fueron a Nuevo Laredo, donde le dijo que lo enviaron de comisión. Vanesa tomó la copa con su piña colada y el frío del hielo la reconfortó. Hacía calor, el aire acondicionado de El Pirata funcionaba mal y a esas horas ya había suficientes seres humanos como para emponzoñar el ambiente.

Antes de darle un trago a la bebida se miró en el espejo del otro lado, al fondo de la barra; las luces de neón hacían brillar sus carnosos labios. Le dedicó una sonrisa a la mujer del espejo y brindó por Rodrigo Marmolejo, "quien fue mi hombre. A quien odio".

Siempre le gustaron las manos del Rorris, grandes y

velludas, manos para ser acariciadas. Y en la cama, él era feroz y dulce.

A las tres semanas de llegar a Nuevo Laredo ya trabajaba en El Manto Negro, donde fue la reina. Tenía la belleza de los diecinueve años. Eran felices, a pesar de que el Rorris se ausentara semanas enteras; cuando de pronto se aparecía la noche se convertía en fiesta, la fiesta de los amantes. La coca, el alcohol y los chochos lubricaban la vida de entonces. Fue natural que ella empezara a vender en el antro. Nunca faltaba la droga para el negocio. Siempre estaba disponible para las "giras". Así eran el Rorris y sus viajes y los muertos con los que cargaba, según le contó un día.

Después de la temporada en los "teatritos" de Nuevo Laredo, El Manto Negro y El Shake, viajaron a Mazatlán, donde Vanesa se llamó Heidi y debutó en Las Sabrosas. Cuando el negocio iba mejor que nunca, cuando Rorris le decía que un día iban a dejarlo todo, a cambiar de vida, algo sucedió. Él le contó que había conocido la muerte, que se le había aparecido cuando le cobraron favores pendientes. Se llevó sus ahorros y esa madrugada volvió para decirle que tenían que irse de Mazatlán. Irse lejos.

Ni siquiera recordaba la siguiente parada en la ruta, pero la comisión del agente Marmolejo fue en Reynosa. Vanesa bebía de su piña colada, cuando sintió la presencia de alguien a sus espaldas; era el hombre de la mesa de oficinistas que la buscaba con cara de ansiedad. Le sonrió y le hizo una seña para que se acercara. El tipo se inclinó y ella le dijo al oído con ese tono que sabía que encendía el fuego de los clientes:

—Espérame tantito y vas a ser feliz. Estoy esperando lo que te prometí.

Lo que sí recordaba muy bien era la temporada que pasaron en Monterrey. El Rorris le consiguió trabajo en uno de los mejores lugares de la ciudad, donde todo era lujo y terciopelo, y había muchas extranjeras, rubias venidas de Europa. Vanesa se llamó entonces Marlen, dijo ser de Venezuela y se inventó una historia: modelo de camino a Nueva York, donde quería ser actriz. El negocio era el mismo y los clientes peores. Fue entonces cuando al Rorris le vino una crisis, demasiada droga, demasiadas tensiones. Se pasó una temporada en el hospital y cuando salió le dijo que debían cambiar de vida. Le creyó. El Rorris quería tener un hijo; ella se embarazó de Fabiola y por un tiempo llevaron una vida tranquila. Sin embargo, a los tres meses de nacida la niña la felicidad se agotó. Marlen tuvo que regresar a los "teatritos", cada vez peores, pero no había alternativa, pues los ahorros se habían acabado. Al agente Marmolejo no le faltaba la mercancía que su mujer vendía a los clientes en los privados, a las chicas, a los meseros y aun a los taxistas que se disputaban el honor de recoger a la señora en su casa y llegar con la Marlen al antro, donde la aguardaban clientes desesperados por una dosis de placer.

Necesitaba otro jalón, así que llamó a un hombre que la siguió hacia las escaleras, al primer piso donde estaban los privados. En el corazón-escenario una de las chicas se contorsionaba desnuda. Lo tomó de la mano, iba a jugar con él, llevarlo al cielo y luego desde las alturas dejarle ver el infierno de la vida que seguramente llevaba: la rutina de la supervivencia, la esposa gorda que espera y los hijos viendo tele, encerrados en ese zoológico de bichos humanos.

Subieron las escaleras, ella por delante. Avanzaba despacio para mostrar las portentosas nalgas que el hombre no dejaba de mirar.

El pasillo hacia a los privados carecía de luz y los clientes se tropezaban. A nadie le había importado poner una lámpara. Las chicas conocían el camino y lo recorrían sin problemas con esos zapatos de enormes tacones que usaban. Vanesa llevaba unos de tacón transparente, y el hombre la seguía con dificultades entre la oscuridad. Ella apretó el paso para hacerlo sentir débil y torpe, para demostrarle, antes de entrar al privado, quién mandaba y cómo iban a ser las cosas cuando decidiera otorgarle el privilegio de tocarla.

El Johny era un tipo robusto al que le gustaba portar gruesas cadenas doradas y anillos. Usaba playeras deportivas y pantalones cortos… un rapero convertido en vendedor de boletos para los privados. Si las cosas se ponían feas en alguno de los cuartos, el Johny entraba en acción. En cuanto vio venir a Vanesa se puso tenso, porque ella iba a conectar.

Pidió un doble y el tipo se tomó su tiempo para sacar

la cartera y pagar. Vanesa recibió impaciente el par de fichas. De manera mecánica las guardó en su bolso. Habían dejado de importarle las ganancias de esos bailes montada en los cuerpos de los clientes, lo mismo que los del negocio de la coca. Aprovechó para revisar si traía suficiente mercancía, unos cuantos pases, los necesarios para un rato de venta. Si hacía falta, en un rincón del camerino había más, resguardada por Chole. En su bolso llevaba también un arma calibre .22, el juguete que el Rorris le había dado para que se defendiera, para que la usara si alguien se pasaba de listo y pretendía robarla. En ese bolso de niña, con una caricatura pintada sobre un fondo rosa, Vanesa traía lo necesario para esa noche en El Pirata.

—El siete —dijo el Johny, y sin esperar al cliente Vanesa caminó rumbo al final del pasillo.

Corrió la cortina, unas mugrosas tiras de plástico imitación bambú. El hombre estaba detrás. El lugar era una verdadera pocilga. Para Vanesa el infierno era así: un privado con un panzón tocándola por toda la eternidad. Necesitaba otro jalón.

Primero tenían que pagarle; el tipo volvió a sacar la cartera con recelo y le dio un billete. Ella lo guardó en su bolso. Sacó sin prisa un par de papeles. Tomó el suyo y aspiró. Luego, despacio, muy despacio, vació el contenido del otro papel, ese puntito de coca, en la palma de su mano izquierda y sonrió. Cuando el cliente se acercó, bajó la mano para humillarlo. Por fin lo dejó aspirar.

No le importó lo que pasó después, era la rutina del

infierno. La música a todo volumen, la parodia de baile que tanto la aburría frente al cliente tumbado en el sillón, ofreciéndole los senos, dándole la espalda y abriéndose de piernas. Las generosas nalgas a la altura de su rostro. Las húmedas manos que empezaron a tocar, a sobar. Montarse de frente en el panzón y dejarlo chupar. Abrazarse a su cuello y acribillarlo con los pezones. Cumplir con el trabajo. El cuerpo abandonado a las garras de ese cliente que no tardó en venirse. Se apartó de él. Lo peor de los privados era la pestilencia.

Contempló al hombre vencido; había resistido muy poco el sabor de su piel morena, sucumbió a los embates del portentoso culo en su entrepierna antes de que terminara la primera canción. Le lanzó la más radiante y falsa de sus sonrisas, se le acercó despacio y se despidió dándole un beso en la mejilla, como si fueran dos viejos conocidos:

—Adiós, papito.

Buscó con urgencia el baño para asearse; no soportaba el mal olor de los clientes, el sudor con el que impregnaban su cuerpo, la saliva que le dejaban en los pechos. Llevaba en su bolso una pequeña toalla que puso bajo el chorro de agua y con la cual limpió su cuerpo. El alivio fue inmediato. Tenía que irse, irse muy lejos. Lo iba a hacer esa noche. Su gran noche.

Se tomó su tiempo para salir del baño de damas en la

planta alta, el de los privados, donde los olores a orines y mierda eran menos intensos. Se maquilló despacio; quería estar sola, pues en cuanto bajara al bar más de uno se le iba a acercar o la iban a llamar de alguna mesa. Lo peor que podía pasarle era que se apareciera alguno de sus enamorados, como el viejito de los sueños.

Sebastián le confesó su amor en un privado y le dijo que juntos podían hacer otra vida. Le contó de sus taxis, de lo bien que le iba con la lonchería en el centro. Si no querían vivir en Acapulco podían irse a Chilpancingo o a donde ella quisiera. A Sebastián le gustaba hablar y hablar, podía pasarse la noche contándole anécdotas vividas o inventadas. No le importaba el dinero que pagaba al final de esas interminables noches, ni el que llegó a darle para los juguetes de sus hijos el día de Reyes o en Navidad, o cuando ella le inventó que estaba enferma. El viejo era tan inocente que ni siquiera se había dado cuenta de que era el conecte en El Pirata.

Vanesa le mentía, gozaba engañándolo, se inventó otra vida: la desgracia de haber caído de lo más alto por aquel accidente en que perdió a sus padres a los doce años; el tío que abusó de ella, y la tía que la puso en la calle. Lo único cierto de lo que le decía al viejito de los sueños era que un día quería irse muy lejos.

La morena de las largas piernas, la Chiquis, y su dueña Johana entraron juntas al baño de los privados. No perdían ocasión para acariciarse. Los amores nuevos se lucen. Le pidieron un par de papeles y se metieron a uno de los apartados; Vanesa imaginó la tormenta de caricias y besos. Se quedó ahí oyéndolas, extraviada en su habitual sensación de lejanía. No sabía cuándo había perdido el contacto con la verdadera vida. A sus hijos los veía también desde de lejos, como si nada la uniera a ellos. Hasta entonces no se había atrevido a dejarlos, algo que no era amor se lo impedía. Al Rorris lo odiaba. Las cuentas nunca le salían y el agente Marmolejo le exigía el dinero que necesitaba para comprar mercancía, cada vez más y más mercancía. Necesitaba otro jalón.

Oía los dulces quejidos y rumores de aquel encuentro furtivo. Las chicas lo hicieron rápido. Salieron contentas y se plantaron frente a ella para retocarse el maquillaje y regresar al bar. Vanesa las miró, reconoció lo que el amor es capaz de hacer por cualquiera, en cualquier lugar. Al lado de la morena sonriente y satisfecha descubrió a una vieja marchita y ajada, un payaso exhibido por la intensa luz del baño, pintándose los labios en forma de corazón. Apenas se reconoció.

Se habría quedado en ese lugar hasta que la buscaran para subir al escenario, pero debía regresar al bar, ya que a las chicas les exigían andar por ahí. En las noches desiertas y aburridas en que apenas llegaban algunos clientes, varias se sentaban juntas a hablar de cualquier cosa y matar el tiempo, pero en las noches de viernes todas eran requeridas, para todas había negocio. Les correspondía el diez por ciento de cada bebida consumida por los clientes y el veinte por cada privado.

Estaba tensa y nerviosa; necesitaba serenarse. Tomó el vestido del que se despojó frente al panzón y que había dejado a un lado, abrió una puerta y se sentó un rato en el excusado. Ahí sola, lejos del estruendo de la música y del neón del bar, recordó que ésa era su gran noche. Lo tenía todo preparado, había visto lo que iba a ocurrir como si se tratara de una película. Cerró los ojos para repasar el plan. No pudo evitar el recuerdo de sus hijos, ese par de angelitos con mala suerte, como le gustaba llamarlos. No tenía remedio, los iba a dejar.

El Rorris se le apareció también, y pensó entonces que hay amores que nacen enfermos y podridos. Lo primero que vio en el agente Marmolejo, un agente de la AFI que se decía poderoso comandante, fue el boleto de salida de aquel antro en Guadalajara, en el que ya no quería trabajar, de donde una noche salió la Toña para ya no volver nunca.

Aunque el Rorris se la llevó, los golpes y los celos hicieron que ese amor apestara. La usaba en el negocio y le servía en esas madrugadas en las que no podía dormir si ella no le daba el consuelo de su cuerpo. Así pasaron los meses y los años. Había cometido tres errores y los tenía claros: embarazarse de sus hijos y tratar de dejarlo. Los hijos llegaron en los peores momentos; Fabiola nació después de que se acabaron los ahorros y el Rorris tuvo que trabajar. Vanesa regresó a los *tables;* no sabía hacer otra cosa, aunque consideró volver con sus padres, encontrar un refugio y tratar de olvidarse del cuerpo de la Toña, del mal amor del Rorris, de los "teatritos" de Guadalajara, Nuevo Laredo, Mazatlán, Monterrey... del consuelo de la coca y todo lo que podía meterse para hacer más digerible el amargo sabor de la vida.

La primera vez que decidió dejar al Rorris se fue a México. Llegó a la central camionera de Guadalajara sin saber a dónde ir. No quería regresar a Mazatlán y faltaban más de seis horas para que saliera el autobús a Tijuana. Así que compró un boleto para la capital.

Con el poco dinero que llevaba encontró un hotel en la colonia Guerrero. Lo demás fue fácil; una noche dejó a la niña dormida y a la salida del hotel tomó un taxi. A tres cuadras del Hotel Lido estaba el Chicas Club, un *table* donde le permitieron hacer lo que sabía: bailar, seducir a los clientes y luego, con un poco de paciencia, conectar.

Sentada en el excusado, con el vestido para su gran noche arrumbado en el suelo, con la tanga negra a la altura de las rodillas, intentando tranquilizarse, olvidar la urgencia de otro jalón, Vanesa pensaba que en ese entonces las cosas no iban del todo mal. Había rentado un departamento en el rumbo de la colonia Industrial y tenía quien le cuidara a su bebé mientras dormía la mayor parte del día, luego de las agotadoras jornadas en el Nueva York, uno de los mejores lugares donde había trabajado. La trataban bien, le dejaban buenas comisiones, le habían asegurado que nadie la molestaría, que todo lo tenían bajo control en el negocio. Lo que el gerente del Nueva York, uno de sus enamorados, no sabía era que el Rorris iba a aparecerse una noche como un cliente más.

La sorprendió cuando estaba a punto de subir al escenario. Aquella madrugada de domingo sólo quedaban unos cuantos borrachos decididos a no permitir que terminara su noche de juerga. Se lo topó de frente. El temor la hizo enmudecer. El Rorris sonreía como si no hubiera pasado nada entre ellos, como si ese año de ausencias y olvido no hubiera importado. Le tendió la mano y la besó en la mejilla. Luego, como cualquier cliente, le mostró el boleto que había comprado para llevarla a uno de los privados.

No pudo evitarlo, cedió no sólo por ella, sino por la niña. El Rorris no había cambiado y necesitaba manejar el negocio. Su negocio. La obligó a dejar el Nueva York y la llevó a trabajar lejos de la Zona Rosa a un lugar de mala muerte, el Salón Turquesa.

En su refugio del baño de damas aledaño a los privados, Vanesa recordaba aquellos amaneceres cuando regresaba de Ecatepec al departamento de la Industrial en el taxi contratado por el Rorris para mantener bajo control sus salidas; pensaba y pensaba cómo irse, irse lejos, hasta que por fin se decidió, tomó a su hija y lo dejó todo. El Rorris jamás sabría dónde buscarla. El plan era llegar a Tijuana, conseguir un pollero para cruzar al otro lado y allá trabajar. Se había propuesto dejar los vicios, quería cambiar de vida.

No obstante, para entonces ya se encontraba embarazada otra vez.

Era inevitable: cuando el acelere bajaba empezaba a sentirse cansada; habría querido dormir un rato. Dormir, sólo eso. Tenía los ojos cerrados y estuvo a punto de perderse, cuando oyó que el Johny la llamaba. Llevaba un buen rato encerrada en el baño y era noche de sábado, la necesitaban allá abajo. Se levantó, tomó el vestido, se lo puso y salió alisándose el pelo; estaba lista para su gran noche, tenía que estar lista.

Al pasar por el oscuro pasillo de los privados, detrás de las cortinas de plástico vio los cuerpos confundidos de una de las chicas y un cliente. Ella lo montaba a ritmo de la música. Se dirigió a las escaleras y bajó despacio; ahí estaba otra vez en esa penumbra para entonces colmada de hombres y chicas. Buscó un lugar en la barra y Enriquito le sirvió otra piña colada.

Pronto la llamarían para subir al corazón-escenario. Le daba lo mismo la música que la acompañara; iba a ofrecer su desnudez, de eso se trataba en los "teatritos" del mundo.

Un borracho se le acercó y a señas trató de decirle algo. Ella pretextó la música, el ruido, para hacerse la desentendida. Quería estar sola, sola hasta que llegara el momento de la que había decidido que sería su mejor actuación. Bebió la piña colada y recordó cuando llegaron a Acapulco dos años antes, con los niños pequeños consumiéndose en el insoportable calor. Siempre estaba cansada, y el Rorris, lejos, por las comisiones a las que lo enviaban, o de plano ido, un fantasma silencioso que a veces se aparecía por la cocina para buscar algo de comer o frente a los niños cuando ella los traía de regreso del kínder. El Rorris estaba en los huesos, enfermo del alma, pensaba Vanesa.

Le gustaba ir a la playa, llevarse a los niños y quedarse horas mirando el mar, el sucio mar de la playa Condesa. La tenían sin cuidado los turistas. Con la mirada fija en la distancia, escuchaba el suave rumor de las olas que la relajaban. Días antes, contemplando el mar, había tomado la decisión de irse muy lejos.

"Vanesa, Vanesa a la pista", oyó la voz del *disc jockey*. Había llegado el momento. Dejó la copa y caminó hacia el escenario. Necesitaba otro jalón.

Vanesa está de pie, desnuda. Deja los billetes en la pista. Tampoco recoge el largo vestido con pedrería del que se despojó. El mesero, al que le encargó su bolso, se lo devuelve con una sonrisa.

No tarda en encontrar lo que busca. Todo lo tiene planeado.

La silueta de Vanesa desnuda detrás del escenario es una extraña postal de El Pirata de Acapulco en la que pocos clientes reparan. Todos aguardan a que bajo los reflectores siga el desfile de desnudos, la carne maquillada y deslumbrante. Vanesa sigue ahí, como si estuviera mirándose cuando hace diez minutos subió al corazón-escenario:

La música —cualquier música— comienza y ella la sigue como autómata. El ritmo del reggaetón es propicio para sacudirse despacio, en contrapunto, con suavidad, para gozar cada uno de los movimientos, para provocar a los clientes con las sinuosidades de su cuerpo. Mantiene todo el tiempo la sonrisa que luce bajo las intensas luces de los reflectores. Es la sensacional Vanesa.

Ella se mira bailar. Dueña de la pista, se desplaza pausadamente, al propio ritmo que la gracia de su cuerpo impone al escándalo del reggaetón.

Los clientes más próximos al corazón aplauden felices, alguien en la barra levanta la copa y brinda con ella. Esta noche, su noche, todo tiene que ser perfecto. El reggaetón cede ante una suave balada del viejo rock de los ochenta; el azar juega su papel y ella escucha *Wind of Change,* una de las primeras canciones con las que bailó, su favorita en el "teatrito" de Guadalajara.

Se mira en el escenario-corazón; se mira desde la penumbra cuando todo está a punto de terminar. Con delicados movimientos se levanta el vestido largo y muestra las largas piernas que terminan en la promesa de su sexo, insinuado bajo la mínima tanga. Poco a poco tira del vestido hacia abajo y muestra los hombros, luego los senos. Ha llegado el momento de ofrecer su cuerpo a los dioses perversos del *table dance.* Con un ágil movimiento se despoja del vestido, oye los aplausos y sigue adelante, exhibiendo las posibilidades del sexo en el tubo que ha reservado para el final, al que sube desnuda mostrándose con generosidad. El maravilloso culo se alza en el centro del corazón-escenario.

Vanesa mira su cuerpo desnudo descender despacio por el tubo mientras escucha la canción de Scorpions que le recuerda su primer "teatrito".

Ha llegado el final. Se tumba en el piso y finge masturbarse. El sexo, su sexo, se abre generoso. La canción está a punto de concluir; las luces, de apagarse.

Vanesa se mira
todo termina
en su gran noche
busca en su bolso
el arma
la toma
la lleva a su cabeza
dispara.

Su cuerpo desnudo yace detrás del corazón-escenario.

■

LA HISTORIA OCURRIÓ en un *table* de la ciudad de México hace algunos años. La nota apenas ocupó la esquina inferior de la última página de información policiaca en un diario de circulación nacional.

Detrás de aquella mujer que al concluir su actuación se pegó un tiro a mitad del escenario había una historia similar a la de Perla. A Perla la conocí en el Sir Black, un *table dance* de la ciudad de Hermosillo. Perla me contó cómo había huido del hombre con quien vivía en la ciudad de México, un agente de la Agencia Federal de Investigación (AFI). Tenía dos hijos y la triste memoria de haber sufrido la violencia doméstica y ser usada como vendedora en el narcomenudeo.

Elisa no está

LEJOS DEL CENTRO DE LA CIUDAD, en la colonia Las Fuentes, las Suites Luigi son un buen lugar para trabajar de encubierto. Cuestan sólo trescientos pesos la noche, y tienen refrigerador, horno de microondas, teléfono y televisión.

A primera vista el cuarto se aprecia limpio, el desodorante con aroma de lavanda mitiga los olores que dejan las parejas furtivas que se entregan al amor en estas cuatro paredes.

En un cuarto como éste, Elisa Ruiz, de veintisiete años, pasó la última noche antes de desaparecer. Era agente de la AFI. Había llegado a la ciudad de Reynosa con otros cuatro agentes, y la última vez que se tuvo noticia de ellos fue el 13 de diciembre de 2000.

Ese día, estaba anocheciendo cuando el comandante Eduardo Salas llamó a su casa. Respondió su esposa. Era una llamada de rutina; preguntó cómo estaban sus hijas y se despidió. Frecuentemente lo asignaban a diversas comisiones y viajaba por todo el país, así que sus largas ausencias no eran raras.

Lo último que se supo de los agentes desaparecidos fue lo que Salas le dijo a su esposa al despedirse:

—Vamos a Nuevo Laredo y regresamos a Reynosa mañana.

Aquélla era una de las primeras asignaciones de Elisa, abogada y con apenas cinco meses en la AFI. Estaba al mando el comandante Salas, un veterano de la AFI, curtido en la calle, con fama de duro. Además de éste y Elisa iban los agentes Juan Solís, Eduardo Arellano y Salvador Díaz. Juan Solís le decía a quien quisiera oírlo que estaba harto de su trabajo como agente. Con apenas tres años en el servicio, ya había llegado al límite; tenía veintiocho años de edad y era soltero. Arellano tenía veinticinco; su mujer estaba embarazada de su primer hijo, que nacería en mayo. Díaz era un tipo solitario de treinta y siete años que apenas hablaba, oriundo de Oaxaca. Salas lo veía como su hombre de confianza, imprescindible en su equipo de trabajo.

Elisa se había graduado con mención honorífica de la carrera de derecho, en la UNAM. Trabajó en un par de despachos donde le pagaban mal. Ni los abogados, ni las leyes, ni los juzgados eran como esperaba aquella muchacha de buenas calificaciones. Todo apestaba, la justicia estaba en venta. Los abusos y la corrupción se sumaban al abultado expediente de la impunidad que pudo conocer en su fugaz tránsito por los juzgados. A Elisa se le dificultó desarrollar esa escamosa piel de cinismo de muchos abogados.

Buscó un mejor rumbo como agente de la AFI. En México, en el mejor de los casos, un policía subsiste con un sueldo de miseria y debe conformarse con las migajas de los grandes negocios de los jefes. Porque los jefes siempre hacen grandes negocios.

Había algo en esa joven delgada y morena que atraía a ciertos hombres, a los débiles, a quienes les urgía un poco de protección. Ciro, agente convertido en ayudante de uno de los jefes, la buscaba. La invitó a comer, luego al cine. Ella pensaba que quizá con el tiempo… A su hijo le hacía falta un padre. Era un niño bajito de nueve años y mirada de enfermo.

Fue Ciro quien la previno. La esperó en el pasillo de la oficina, frente al elevador; se le acercó con una sonrisa mustia y no le dijo mucho, sólo que tuviera cuidado en Reynosa. Les habían puesto una trampa.

En esa madrugada de insomnio y temor en el hotel, Elisa sólo tuvo como compañía al televisor. Cuando los investigadores entraron al cuarto que había ocupado en busca de indicios sobre su desaparición, lo único que le daba cierta calidez al espacio era la foto de su hijo. Elisa era una madre soltera a la que la vida sorprendió con su crudeza. La ropa estaba colgada en el clóset, la maleta y un par de zapatos se hallaban en un rincón. Habían hecho el aseo y de seguro rociado la habitación con ese penetrante aroma de lavanda; por eso ninguno de los investigadores se percató del agrio olor del sudor de Elisa, producto del miedo. El miedo hedía; su tufo era como el del dinero que se recibe ilícitamente por primera vez. Un olor que despierta el morbo y mata el arrepentimiento. Ese olor puede ser el mejor anestésico para los dolores de la mala vida. Muchos se acostumbran a ese olor, sobre todo si son policías, aunque Elisa guardaba un estorboso decoro por haber estudiado en la primaria del Sagrado Corazón. Llevaba siempre consigo el viejo catolicismo en la medalla de la Virgen de Guadalupe que pendía sobre su pecho.

Trataba de conciliar el sueño, iba de canal en canal casi mecánicamente, con el mínimo volumen, como para hacer de las voces provenientes del televisor un lejano rumor. Atar cabos, pensar demasiado no es bueno para un policía. ¿Había sido una amenaza? ¿De verdad les habían tendido una trampa? ¿Era solamente un intento de Ciro por parecer importante, que tenía información privilegiada y que le advertía a una amiga que algo malo podría ocurrirle?

Junto a la *laptop* tengo un par de recortes de prensa. El primero habla sobre la lucha por el control de los territorios del narcomenudeo. Nadie sabe cuántos han caído y menos desaparecido en los barrios de Reynosa. El segundo es una nota publicada en páginas interiores de un diario de la ciudad de México, en el cual se describe cómo fue encontrado el cuerpo de Antonio Espina, ex policía asesinado. Lo habían "levantado" y luego torturado. Tenía cinta canela en la boca y las manos atadas a la espalda. Su cuerpo apareció en un apartado camino en las afueras de Reynosa el mismo día en que Salas llamó a su mujer para decirle que viajarían a Nuevo Laredo.

Me pusieron en la ruta de la investigación. Cosme, viejo contacto, reportero de la ciudad, me dijo mientras bebíamos una cerveza en el bar de uno de los hoteles del centro:

—Los agentes desaparecidos se encontraron con Espina. Espina tenía información sobre el narcomenudeo controlado por la policía.

Imagino a Elisa en su cuarto esa noche, después de haberse reunido con el policía que sería asesinado, horas antes de que ella y los otros agentes de la AFI desaparecieran. Le preocupaba lo que les había contado. Salas les dijo que iba a reportarse con los jefes cuanto antes; se marchó a su cuarto y los dejó en el reducido *lobby* del hotel. Elisa pensó en dejarlo todo y regresar a México en el primer vuelo. Recordó la advertencia de Ciro. En Reynosa estaban indefensos. Un día antes habían llegado de manera encubierta; rentaron un automóvil en el aeropuerto, se dirigieron al hotel y recorrieron la ciudad sin rumbo aparente. Debían mantenerse con un perfil bajo. Salas esperaba instrucciones, y en cuanto las tuvo fueron a encontrarse con Espina.

Cosme me habló de Espina, lo conoció como el comandante Dragón, el cual había tenido un meteórico ascenso en la policía. Se decía que lo protegían los Chachos, una banda de narcos que disputaba el control de la ciudad.

Del encuentro del policía y los agentes sólo hay rumores. Cosme llevaba consigo ambos recortes de prensa y los puso sobre la mesa sin decir nada más. El oficio de reportero en las zonas de guerra del narco es peligroso, sobre todo cuando se va por la libre.

Como lo hicieron los agentes desaparecidos, llegué a la ciudad en el último vuelo de la noche, renté un auto y fui a las Suites Luigi. Al registrarme, en el rubro de ocupación escribí "agente viajero". Quizá la misma ocupación de los agentes de la AFI en "misión encubierta".

Espina les había dado nombres y direcciones. Describió cómo las zonas del narcomenudeo eran controladas por la policía municipal, cómo las patrullas se encargaban de vigilar el negocio. Les habló de la guerra por el control de los barrios, los Zetas contra lo que quedaba de los Chachos. Docenas de muertos. Nadie creyó en su interés de que todo terminara. Les advirtió que tuvieran cuidado, que evitaran el contacto con los policías, los municipales, los judiciales estatales, los federales…

Escribo en la soledad de mi cuarto, un cuarto como el de Elisa y los otros tres desaparecidos. Imagino que en esa noche de insomnio ella analizó las piezas sueltas del rompecabezas, de la bomba que estaba por estallarle en las manos: una misión encubierta encabezada por Salas, personaje incómodo para muchos, un agente que sabía demasiado y al que más de un jefe debía algún favor. El resto del grupo estaba formado por Díaz, hombre de confianza de Salas; por Arellano, otro agente inexperto como ella, en una de sus primeras misiones, y por Solís, un renegado, alguien peligroso, con ganas de largarse de la AFI. Todos, de una u otra manera, material desechable.

No lo sé, pero supongo que a esas horas Elisa pensó que tenían poco tiempo para actuar, que la cuenta regresiva para ellos había comenzado. En el mejor de los casos Salas reportaría la información y muy pronto se daría un operativo para desmontar el negocio y capturar a algunos mandos de la policía municipal. En el peor, y ésa era la causa del agrio olor del miedo que llenaba la soledad de su cuarto, no iba a pasar nada, alguien iba a recibir un recado y luego matar al mensajero.

Imaginó que podía huir, largarse de una vez, quizá pasaría por el cuarto de Arellano para contarle todo. Era muy ingenuo, se creía aquello de que las cosas podían cambiar, de que podían hacer algo. La aburría. Pero no sabía a dónde ir; no podría volver a la ciudad de México. Pensó en cruzar la frontera y comenzar otra vida. Pero era imposible, no iba a renunciar a su hijo ni dejarlo con su madre quién sabe por cuánto tiempo. Intentó tranquilizarse, tal vez había visto demasiadas películas. La paranoia de los novatos. Seguro que Salas estaba consciente de lo que ocurría, el hombre era frío, ni siquiera se inmutó cuando el comandante de la policía municipal apareció a media carretera, en un punto próximo a la brecha por la que transitaron un rato.

Cuando llegaron a una cabaña ruinosa y sucia, no pudo evitar pensar que era un buen lugar para llevar a ciertos detenidos y platicar con ellos con toda tranquilidad. Imaginó al policía en acción, Espina era un tipo fuerte. Le asombraron sus grandes manos. En el dedo anular de la mano derecha llevaba un anillo de plata con un enorme dragón. Les dijo todo sin inmutarse. A ninguno le convenció la historia de su sobrino asesinado, de los hijos de su primo muertos por sobredosis como la causa de su denuncia. El comandante Dragón defendía lo suyo. Hacía rato que había tomado partido en la guerra por el control del negocio del narcomenudeo en Reynosa.

Por fin Elisa durmió un rato, hasta que el timbre del teléfono la devolvió a la realidad de su cuarto. El televisor seguía encendido y tras las cortinas se insinuaba la luz de la mañana. El ruido de los automóviles que pasaban por la avenida fue aumentando. Era Salas, necesitaba que lo acompañara a la delegación de la PGR en la ciudad. Tenía quince minutos para prepararse.

Se encontró a Salas en el *lobby* del hotel tumbado en uno de los sillones, con mal semblante y peor aspecto. Parecía enfermo. Elisa no era la única que había dormido mal después de escuchar a Espina. Apenas la saludó, pues el tipo la despreciaba; no toleraba la idea de que las mujeres jugaran en su equipo, de que usaran placa y portaran un arma. Podían ser informantes, como algunas putas, pero era mejor que se quedaran en las oficinas como telefonistas o secretarias. Le habían impuesto a Elisa en su grupo.

Ella tenía la esperanza de que la misión terminara pronto. Iban a informar lo que ya muchos sabían en la PGR. El negocio debía de dar lo suficiente para comprar silencios y complicidades. Con un poco de suerte, esa misma tarde estarían de vuelta en la ciudad de México.

Salas apenas habló de camino a las oficinas de la PGR en Reynosa; le dijo la dirección del lugar. Elisa no tenía la menor idea de dónde estaba, así que el comandante se vio obligado a indicarle el camino.

La delegación de la PGR era un punto obligado en la investigación del reportero. Como se iban a mudar de esa oficina situada en el primer piso de un edificio de tres plantas, por todas partes había expedientes metidos en cajas. El delgado despachaba en una minúscula oficina. Daba la impresión de haber encontrado en ese lugar un refugio ante el caos no sólo de la delegación de la PGR, sino de la violencia desatada en Reynosa y toda la frontera tamaulipeca.

El delegado, el licenciado Enrique Macías, me hizo esperar un buen rato. Todavía ahora me preguntó por qué aceptó hablar conmigo, un periodista venido de la ciudad de México con una serie de preguntas incómodas sobre los cuatro agentes desaparecidos, cuyas fotos estaban en carteles colocados en la entrada del edificio. En grandes letras negras se leía: "Se solicita colaboración". Se proporcionaban datos escuetos y un par de teléfonos para recibir llamadas. Los carteles eran como la investigación, un mero trámite, acciones obligadas para llenar un expediente que de seguro muchos querían cerrar cuanto antes.

Cuando estaba a punto de marcharme, de regresar al hotel con más dudas sobre la desaparición de los agentes, la secretaria a la que le había preguntado por el licenciado Macías me dijo que esperara un momento. Aunque el licenciado estaba ocupado, le había pedido avisarme que me iba a atender. Aguardé de pie afuera de la minúscula oficina, en el pasillo.

Por fin la secretaria, ocupada en empacar expedientes ante la inminencia de la mudanza, me llamó. La seguí entre los escritorios apilados.

Entré a la pequeña oficina, el refugio del licenciado, quien estaba sentado detrás del escritorio. De mediana edad, usaba corbata y camisa blanca. La pulcritud y la sonrisa con que me recibió parecían fuera de lugar. Pronto descubrí que se trataba de una sonrisa nerviosa. El tipo tenía miedo.

—¿Qué pasó con los agentes desaparecidos, qué venían a investigar…?

—Tenían una comisión de investigación de sigilo por parte de las autoridades centrales. Se reportan aquí en la delegación y se les brinda el apoyo que solicitan y proceden a hacer su trabajo. —Macías fumaba con ansiedad. Miraba la grabadora con desconfianza. Trataba de responder con la precisión del funcionario que no tiene nada que ocultar.— Pasa el tiempo y el día 20 de diciembre el comandante, que venía a cargo de estos elementos y de la investigación, nos informa que están desaparecidos. Se inicia una averiguación y se procede a hacer las investigaciones correspondientes, solicitando el apoyo a las demás dependencias de los tres niveles de gobierno, así como al Ejército para la localización de nuestros compañeros.

¿Dónde pudo estar el comandante Salas durante los días posteriores a la última vez que vio a sus compañeros?, ¿por qué tardó tanto en informar de lo ocurrido? Nadie parece tener respuesta a este par de preguntas.

Macías siguió con su informe burocrático, de seguro lo mismo que reportó por escrito a sus jefes.

—Hasta la fecha hemos estado llevando distintas actividades de operatividad, de investigación, tratando de concentrar el mayor número de datos necesarios para poder saber su paradero, encontrarlos vivos o muertos. No descansaremos hasta que se tenga una noticia de ellos.

Pero unas cuantas semanas después de la desaparición de los agentes, el caso ya ocupaba un lugar en el ámbito sombrío de la impunidad.

—¿Qué venían a investigar? Hay versiones periodísticas de que andaban tras de Osiel Cárdenas, también de que sondeaban el narcomenudeo...

Mencioné al hombre más temido en Tamaulipas. Macías tuvo que bajar la voz en su propia oficina. Fijó la vista en la grabadora para luego hablar despacio, midiendo los posibles alcances de cada una de sus palabras.

—A ciencia cierta no conozco el tipo de investigación. Sé que la investigación que traían era muy sigilosa. Como agentes federales su ámbito estaba dentro de la delincuencia organizada…

La puerta de la oficina se abrió de golpe, entró un hombre de aspecto hosco, con el pelo cortado al estilo militar. Sin decir nada se sentó a mi lado, frente a Macías.

—Le presento al comandante Beltrán, el subdelegado —dijo Macías bajando aún más la voz. El subdelegado intentó una sonrisa—. No pasa nada, estamos entre amigos.

Había algo torvo en la mirada del subdelegado. Macías encendió otro cigarro mientras yo trataba de retomar el hilo de la entrevista.

—¿Cuáles fueron los pasos que se siguieron en la investigación, en dónde estuvieron hospedados los agentes?

—En un hotel aquí en Reynosa, las Suites Luigi, donde ya se hicieron las averiguaciones concernientes, el reconocimiento de sus prendas de vestir y de otros objetos personales. —Macías trataba de mantener el tono frío de un informe.— Se tomaron declaraciones de todas las personas que en algún momento tuvieron contacto con estos compañeros.

—¿En el lugar donde estaban hospedados encontraron algo que llamara su atención?

—Lo más mínimo. Lo rutinario en una habitación de hotel.

—¿Cuándo fue el último día que el comandante tuvo información sobre los agentes de su grupo?

—Dentro de las investigaciones se establece que el último día al parecer fue el 13 de diciembre.

Las respuestas de Macías son cada vez más cortas y áridas. El tipo a mi lado deja sentir su autoridad, la cual sospecho que proviene de los arreglos sucios en que está involucrado.

—¿Hay información respecto a qué rumbo tomaron, a dónde fueron…?

—De acuerdo a las diligencias practicadas se presume que iban rumbo a Nuevo Laredo, dirección a Miguel Alemán; en ese punto se perdió su ubicación.

Ciudad Miguel Alemán es una localidad tomada por el narco, donde el cártel del Golfo encontró refugio y los Zetas se atrincheraron. Todavía me pregunto si Macías dijo la verdad o me encaminó sobre una pista falsa.

—¿Qué tanto se ha adelantado en la investigación?

—Nosotros seguimos el proceso de rutina, hemos tratado de recabar los mayores indicios para determinar la localización. Encontrarlos, ya sea de una o de otra manera. —Quería decir encontrarlos vivos o muertos. No hacía falta ser muy sagaz para saber cuál fue el destino de los agentes desaparecidos.— Vamos a agotar todos los medios, vamos a llegar a la verdad histórica de esta desaparición.

Lo que se hizo fue cubrir el expediente, investigar sin llegar a ningún hallazgo de relevancia. Apostarle al olvido.

—De acuerdo a la investigación que han realizado, ¿en cuánto tiempo podemos saber qué fue lo que pasó con los agentes de la AFI?

—Una investigación como ésta no puede concluirse en veinticuatro horas, nos puede llevar hasta cinco o diez años.

—¿Pudo tratarse de una ejecución? ¿Por qué los cuerpos no han sido encontrados?

Al tipo junto a mí estaba a punto de acabársele la paciencia.

—No adelantaría nada sobre una ejecución, en cuanto a una circunstancia lamentable de pérdida de la vida —Macías decía mucho para no decir nada—, no pensamos en una ejecución en lo más mínimo. Tengo esperanzas de encontrar a nuestros compañeros bien.

El licenciado Macías encendió otro cigarro antes de dar por terminada la entrevista. El otro tipo no dijo una sola palabra. Retiré la grabadora del escritorio y me despedí de ambos.

A esa misma oficina llegaron Salas y Elisa aquella mañana horas antes de su desaparición. El comandante bajó del auto, portando lentes oscuros y el arma dispuesta en la cintura; llevaba las botas de vaquero urbano que le gustaba lucir. Elisa se miró en el espejo retrovisor antes de salir. El desvelo le había dejado una marca azul bajo los ojos. Trató de no sentir miedo, al fin de cuentas la investigación parecía concluida y lo demás era pura rutina. Tenían la información que buscaban, alguien se iba a beneficiar con los golpes a las "tienditas" del narcomenudeo en los barrios de Reynosa y con las capturas de algunos infelices.

Siguió al comandante hacia el edificio de la delegación de la PGR. Era una oficina insuficiente, donde todo sobraba, la gente, los escritorios, las computadoras y los expedientes. Salas preguntó por el delegado; le dijeron que el licenciado no estaba y que tendrían que esperarlo. Así lo hicieron, sentados en unas sillas que encontraron. Era media mañana, hacía calor. Elisa bostezó mientras Salas se entretenía con su teléfono celular, enviando mensajes, tecleando números. Los delegados aparecen por sus oficinas cuando se les da la gana, así que la espera podía prolongarse indefinidamente. De pronto sintió una mirada. Desde el otro lado de la oficina apareció un hombre de pelo corto, estilo militar. Era el comandante Beltrán.

Macías me había dicho que los agentes en misión encubierta acudieron a su oficina a reportarse y pedir los apoyos necesarios.

El comandante Salas se dirigió al tipo de pelo corto. Elisa los vio hablar entre ellos. Se habían saludado con frialdad, como dos viejos rivales. Era evidente que aquel hombre tenía poder, pues se movía como el dueño del lugar. Elisa estuvo a punto de acercarse para oír lo que decían, pero uno de los subordinados del tipo cerró la puerta de la oficina a la que se habían metido. La oficina del delegado.

Ahí estaba Elisa entre los expedientes apilados, cerca de dos secretarias que trabajaban tediosamente frente a las pantallas de sus polvorientas computadoras. Era una oficina como la suya; después de todo, parecía mejor estar de comisión.

Luego de un rato el comandante salió. Lo noté tenso, algo iba muy mal. Sin decir nada se tumbó en su silla y se quedó inmóvil, con ese rostro inexpresivo de veterano que tenía. La espera se prolongó por más de una hora. Elisa vio entrar a un hombre menudo y de baja estatura, y supuso que era el delegado por la forma en que lo saludaron las secretarias. Dijo "buenos días" y sin ningún recato la miró de arriba abajo. Salas ni siquiera le contestó. Entraron a su oficina, la misma en la que el comandante se había encerrado con aquel pelón de recio semblante militar.

Todo fue rápido y preciso, de rutina, como Elisa esperaba. Macías no comentó nada sobre lo que habían ido a hacer, tampoco del encuentro con Espina. Volvió a mencionar aquello de la misión encubierta y pidió el apoyo necesario.

El licenciado Macías encendió un cigarro y se despidió de ellos. No sólo por el traje gris que llevaba, sino por sus movimientos, su forma de hablar y hasta por su vocabulario, Elisa estaba segura de que Macías en alguna época de su vida había sido uno de esos abogados que en la jungla de los juzgados se ceban con los más débiles.

Llamé a Cosme, necesitaba hablar con mi amigo reportero. Media hora después nos reunimos en el restaurante de aquel hotel del centro. Esa mañana habían descubierto otro par de ejecutados. La guerra por las calles no cesaba. Según las cuentas de mi amigo, en menos de un mes el saldo ya era de quince homicidios, nadie sabía cuántos "levantones", más los cuatro agentes de la AFI desaparecidos.

La información se filtra a quien conviene, además de que se dejan correr muchos rumores. Reynosa es una de tantas ciudades en disputa, el conflicto lo genera el fabuloso negocio de las trasnacionales del narco. No sólo se trata del narcomenudeo y sus millonarias ganancias, sino del control de un punto estratégico en la frontera, clave para cruzar la droga y también para almacenarla.

Por entonces ya había palabras prohibidas, quien hablaba de los Zetas o de Osiel Cárdenas, debía hacerlo en voz baja. Por todas partes había informantes, taxistas, meseros, niños de la calle, viciosos en las esquinas dedicados a vigilar, a informar sobre cualquier movimiento extraño a través de radios sacados de las piltrafas de sus ropas.

El mesero, un mesero cualquiera del que Cosme sospechaba, se alejó después de servirnos un par de tazas de café. Mi amigo es un veterano del oficio, durante años fue el mejor reportero de nota roja de la región. Los mejores contactos, los mejores informantes. De pronto, como a muchos otros, le ganó el miedo. El miedo por su vida y la de su familia. Desde entonces Cosme sólo cumplía con su trabajo, manejaba la información que le daban las fuentes oficiales y eso publicaba, aunque conservaba su red de informantes.

Le pregunté por Beltrán, el subdelegado.

Tenía fama de ser cruel, lo llamaban el Sargento, Cosme estaba seguro de que había sido militar. Era el hombre de confianza en Reynosa de los del Pacífico. Decían que él mismo controlaba un grupo de sicarios: secuestros, el negocio por el derecho de piso para cruzar droga al otro lado. Si alguien sabía a qué bando pertenecía cada uno de los muertos caídos en las últimas semanas en Reynosa era el Sargento.

Entendí por qué el delgado Macías tenía miedo.

El mesero se acercó a preguntar si nos hacía falta algo, Cosme enmudeció. Lo noté incómodo, a nadie le gustaba ser visto con un reportero que viene de lejos y hace demasiadas preguntas.

En voz baja y mirando a todas partes me dio un dato más: el último lugar donde vieron a los agentes desaparecidos fue en una gasolinera a la entrada de Ciudad Miguel Alemán.

—¿Tú sabes donde se esconde Osiel, desde dónde opera? —me preguntó Cosme.

De pronto se sintió amenazado y se llevó un índice a

los labios. Levantó las cejas en dirección al hombre que se acercaba a nuestra mesa. El tipo llevaba un chaleco de fotógrafo y una cámara al hombro. Dijo "buenas…" y se sentó con nosotros. No había tiempo para presentaciones.

—El comandante Beltrán le manda decir que así como una mañana los amigos que usted sabe salieron de su casa y ya no volvieron, así le puede pasar a cualquiera, a mi amigo Cosme o a usted mismo, jefe.

Sin decir nada más se paró de la mesa. Estaba de más que Cosme me dijera que debía marcharme de Reynosa cuanto antes.

Aquellas seis personas decidieron guardar un minuto de silencio por los suyos. Era la forma en que cerraban una singular conferencia de prensa celebrada en la calle, frente a un edificio en la avenida Reforma de la ciudad de México, el de las nuevas instalaciones de la PGR. Ahí estaban los padres, la esposa, los hermanos de los agentes desaparecidos en algún lugar de la llamada Frontera Chica, en Tamaulipas. Seis meses después de aquella llamada del comandante Salas a su esposa para avisarle que saldrían para Nuevo Laredo, aparentemente nadie en la PGR sabía nada de los desaparecidos. Urgía cerrar el caso; Elisa Ruiz, Juan Solís, Eduardo Arellano y Salvador Díaz eran ya otras víctimas sumadas a la lista de caídos por la violencia del narcotráfico. Desde finales de la década de los noventa, año con año los ejecutados suman miles. De lo que nadie parece llevar cuentas precisas es de los desaparecidos. De las víctimas de los "levantones", esos violentos actos donde es común que personas ataviadas como grupos de elite de la PGR o del Ejército capturen a personas de las que no se vuelve a saber nada, como ocurrió con los agentes de la AFI.

La conferencia de prensa en la calle, convocada por los familiares de los desaparecidos, mediante correos electrónicos que alguien tuvo la idea de enviar a las redacciones de los periódicos, fue triste y llena de preguntas. Las lágrimas y la impotencia, una mezcla de nostalgia y dolor, quebraron la voz de algunas de esas personas que en mitad de la calle trataban de convencer a los reporteros de que los ayudaran. Nosotros éramos sólo cinco o seis, los agentes desaparecidos habían dejado de ser noticia, a quién le importaba el dolor de sus familias en un país de constantes escándalos de primera plana.

Tampoco parecía importar la causa de su desaparición. "Venimos a pedir una solución al caso y que se transparente el trabajo que lleva a cabo la PGR", dijo Enrique Solís, hermano de Juan.

"Que nos digan por qué han relevado del caso a dos comandantes", señaló Mario Arellano, padre de Eduardo.

A Guadalupe Méndez le faltaba poco para dar a luz. Permanecía callada, casi resignada a criar a su hijo sola. Como el resto de los familiares, llevaba en las manos una fotografía amplificada de su esposo desaparecido, Eduardo Arellano.

"Tenemos desconfianza de la PGR. A nuestros familiares los mandaron al matadero. Hace tres meses que desaparecieron y ésta es la hora que no tenemos ni sus huesos", añadió Enrique Díaz, hermano de Salvador, quien había llegado de Oaxaca apenas dos horas antes de la conferencia de prensa. Con la mirada clavada en el piso, habla del dolor de no saber siquiera dónde fueron sepultados los agentes.

La madre de Elisa llegó sola y no dijo una palabra. Sólo se aferraba a la foto de su hija, la estrujaba con dolor. En aquella foto Elisa sonreía; como se la tomaron en una fiesta, la joven lucía un peinado de salón.

Hoy se sabe muy poco de lo ocurrido con los agentes. Después de aquella desesperada conferencia de prensa en Reforma, se filtró información a uno de los diarios de la ciudad de México.

La misión encubierta de los desaparecidos: investigar las redes de narcomenudeo en Reynosa y Matamoros relacionadas con el cártel del Golfo.

La principal línea de investigación: homicidio, perpetrado por sicarios del cártel del Golfo.

Nadie habló de corrupción, a pesar de que el comandante Salas y un par de personas de su grupo habían investigado la protección que distintas autoridades brindaban en Veracruz a las operaciones del cártel.

Seis meses después de la desaparición de los agentes de

la AFI, en un boletín de prensa se dio a conocer la versión oficial de lo ocurrido: "Elisa Ruiz, Juan Solís, Eduardo Arellano y Salvador Díaz murieron en cumplimiento del deber".

El boletín sentenciaba con frialdad: "Sicarios del cártel del Golfo los ejecutaron".

Como respuesta, los familiares de los desaparecidos convocaron a otra conferencia de prensa en la calle.

El mismo dolor, la misma rabia, la misma impotencia.

El padre de Eduardo Arellano preguntó:

—¿Por qué el comandante Salas se separó de ellos?, ¿por qué esperó tantos días para avisar de su desaparición?

Enrique Díaz, el hermano de Salvador, agregó:

—He llegado a pensar que los mandaron al matadero. De los cuatro desaparecidos sólo mi hermano tenía experiencia, los demás hacían sus primeros trabajos. ¿Por qué mandar gente inexperta a un asunto tan delicado? Los vendieron.

Cinco meses antes de aquella segunda conferencia de prensa, un par de semanas después de la desaparición de los agentes de la AFI, le había preguntado al licenciado Macías, el delegado de la PGR en Reynosa:

—¿No teme usted que alguno de sus agentes, o usted mismo, puedan correr la misma suerte que los desaparecidos?

Tardó en responder. De reojo miró al hombre del pelo corto sentado a mi lado y dio una intensa calada al enésimo cigarro de esa mañana.

—Somos vulnerables, muy vulnerables —contestó, y luego intentó uno de sus fallidos discursos—: pero hacemos nuestro trabajo porque somos mexicanos y queremos a la patria…

■

EL 14 DE DICIEMBRE DE 2002 desaparecieron cuatro agentes de la AFI en el estado de Tamaulipas. Casi seis años después no se sabe cuál es el paradero de Norma Elsa Castillo Pinal, Juan Remi Ortega Arellano, Gustavo Garza Martínez y Eduardo Díaz Reyes.

Los agentes desaparecieron en la frontera de Tamaulipas, desde hace muchos años una frontera caliente. Desaparecieron en el territorio del cártel del Golfo y las peligrosas bandas que operan en la región; donde el narco callejero se disparó en ciudades como Reynosa, Nuevo Laredo y Matamoros; donde la corrupción es un cáncer que se extiende dentro de las corporaciones policiacas y las ejecuciones y "levantones" son cosa de todos los días.

En Reynosa me hospedé en las Suites Avellini, el mismo lugar donde se hospedaron los agentes desaparecidos. Después de hablar con el delegado de la PGR en la ciudad, decidí viajar al otro lado de la frontera y tomar el primer vuelo rumbo a México.

Extras en el reparto de la vida

I

VEMOS A LA MUCHACHA caminar por las calles desiertas de Tepito. Es una fría madrugada. Sobre la avenida se levantan las estructuras metálicas de los puestos de los ambulantes. Son como los despojos de una ciudad devastada. Un grupo de hombres se procuran calor con una botella de ron barato. La muchacha va deprisa, empujada por el miedo de sentirse perseguida por la muerte. Aprieta el paso, luego corre. Un gato negro se cruza en su camino; lo que faltaba, más mala suerte.

La muchacha avanza por las calles del barrio viejo, topándose con montones de basura en las esquinas. Casi choca con una indigente que deambula por allí y que pudo ser una belleza, pero perdió el control de su vida, sucumbió a las drogas, a los excesos... quién sabe qué tragedia desencadenó su locura. La muchacha detesta reconocerse en ese espejo y camina más aprisa. Atraviesa las calles sin tráfico, sumidas en el silencio de las últimos minutos de oscuridad.

Atrás quedó el departamento donde vivía, en el primer piso de un edificio construido sobre los restos de una vecindad que se vino abajo en el terremoto de 1985. Dos reducidas recámaras ocupadas por un par de sillas, una mesa, un viejo mueble y algunas cajas de cartón. La cama revuelta.

Jamás recuerda sus sueños.

¿Y si todo fuera una pesadilla? Si de pronto despertara con el malestar de siempre y encendiera la luz en ese cuarto semivacío, donde sólo tiene el aparato de sonido y una colección de discos pirata. Despertar de este sueño que parece la realidad.

Este mal sueño puede terminar al cruzar la próxima calle, dar vuelta y avanzar media cuadra hasta llegar a la ventana prometida y tocar tres veces. Esperar y luego volver a tocar, hasta que alguien reciba el billete arrugado de color rosa que saca de la bolsa de su pantalón de mezclilla. Su último billete.

Es la dosis necesaria para poder seguir en la huida, para caminar otro rato por las calles desiertas de la enorme ciudad donde siempre ha sido una extraña. Llegó sola y sola se quedó. Sola se va, sola huye, sola corre.

A ratos aumenta el miedo y amenaza con paralizarla. Entonces siente un hueco en el pecho y suda intensamente. Si se detiene, quedará convertida en cadáver. Debe correr por su vida. Seguir en su huida por las calles, cruzar la oscuridad de las solitarias calles en espera de que amanezca.

La coca la reconforta, y también el canto de pájaros urbanos que preludia el amanecer. Cree escuchar el llanto de un niño. Las pesadillas están hechas de pura realidad. Un par de ratas se disputan los restos de alguna sobra; chillan salvajemente y en dos patas libran una batalla a muerte.

Muerte es la palabra que quiere olvidar.

Despertar de ese sueño, recordarlo. En sus peores pesadillas siempre estuvo sola. Sola y huyendo. Despertar en el departamento, con el malestar, ir al baño, orinar, defecar para sentirse viva y a salvo. Soñaba que corría en la ciudad sin rumbo, que la perseguían.

Vemos a la muchacha detenerse a media calle. Pasa un automóvil, luego una patrulla se aproxima con la torreta encendida. Trata de ocultarse, se agacha detrás de los coches estacionados. Respira agitada, cierra los ojos. Se deja caer sobre la dura banqueta. Ahí queda tendida como una muñeca de trapo, con el pelo pintado de rojo, con sus pantalones de mezclilla y chamarra gris; está exageradamente flaca.

Parece que no se va a levantar, que halló un lugar para descansar tranquila y esperar.

La patrulla puede volver, ir tras ella, los policías llevársela, golpearla, usarla. En la oscuridad, una patrulla es una amenaza. Nada es más peligroso que un policía drogado, ansioso.

Sin embargo, la muchacha se levanta, aunque duda qué dirección tomar. Tiene que alejarse del barrio, irse lejos para salvar la vida.

Camina despacio, resignada. Por hacer algo empieza a contar sus pasos, ciento veinte, ciento veintiuno, ciento veintidós, ciento veintitrés… El amanecer se anuncia con un cielo pardo de luces plomizas que parecen provenir de un sol enfermo.

Por un instante piensa que puede salvarse, que el día ha traído la buena noticia de que no van a cumplirle a la muerte, a la venganza. Intenta correr de nuevo, pero no sabe hacia dónde. Al rato, cuando el sol haya salido por completo, podrá encontrar la manera de hacerse de unos pesos, tomar un taxi rumbo a la Central Camionera e irse lo más lejos posible.

Más al rato terminará el mal sueño de su sentencia de muerte. Nadie volverá a saber de ella.

A punto de cruzar una calle, ve de lejos el auto. Son ellos. Tienen que ser ellos. El auto enfila hacia ella a toda velocidad, no para arrollarla, sólo para hacerse presentes, demostrarle que ahí están, que han estado siempre cerca. Juegan con ella, quieren hacerla creer que puede huir.

La vemos correr por la calle. Se topa con la gente de los amaneceres en las ciudades, los que salen temprano a ganarse el sustento y los que vuelven a casa justo antes del alba, insatisfechos por la vida que les ha tocado.

El auto, de lujo y año reciente, la sigue. Parece una bestia que brama. Vemos a un sujeto que saca medio cuerpo por la ventana delantera. Amaga a la muchacha con un arma y ríe. La está pasando bien. Ríe a carcajadas.

Es un tipo cualquiera; ella no lo conoce, nunca lo ha visto. Simplemente le encargaron hacer el trabajo.

La muchacha trata de volver sobre sus pasos, de perder al auto. Se pregunta cuánto pagaron por su vida. Conoce la respuesta: ni siquiera le pusieron precio. Le dieron el encargo de su muerte a un sujeto cualquiera decidido a hacer méritos, a subir en el escalafón de los malosos, a ganarse la confianza de los jefes demostrándoles que puede hacer cualquier cosa, como matar a una mujer, o darle su merecido a un chivato.

Vemos a la muchacha detenerse, podría decirse que estamos en lo alto de un edificio, digamos en la ventana de un tercer piso. Parece agotada, no puede más. Otra vez duda, no sabe qué rumbo tomar, al norte, al sur… se siente acorralada. La vemos sentarse sobre la banqueta, esperar resignada al auto que dobla la esquina y se para de golpe frente a ella. De ese auto, que nadie se atrevería a describir, bajan dos tipos.

Para cuando le den el tiro fatal, la muchacha estará desconectada, ausente de sí misma. La llevan al lugar convenido, un departamento transformado en bodega. Son dos jóvenes, de quince o diecisiete años a lo mucho.

Cuando la bajan del auto brilla el sol. Los habitantes de la ciudad de México sabemos que cualquier amanecer soleado puede ser el augurio de una tarde de vientos y lluvia, cielos encapotados y malos presagios.

Los jóvenes lo toman con calma. Dejan de burlarse, no se aprovechan de la flaca del pelo rojo, no se manchan con ella. Sólo han cumplido. En cuanto arriban a la bodega llaman por celular al bueno. Les había dicho que él mismo quería encargarse de la flaca, cobrarle por ponerle el dedo.

Miramos a la muchacha absorta; desde la distancia a la que se encuentra, desde el lugar elegido para que muera, apenas reconoce al hombre que llaman el Roñas.

El Roñas toma su reluciente pistola. Los jóvenes preparan a la muchacha, pacientemente le cubren la boca y los ojos con cinta canela. Hacen que se hinque de espaldas. El hombre se acerca y le dispara.

II

Actuaron deprisa y sin equivocaciones, echando mano de un eficaz despliegue de patrullas y un centenar de policías dispuestos a entrar en acción. Ir al corazón del barrio para sacar a uno de sus habitantes resulta temerario. Para entrar hay que haber pactado antes para no correr el riesgo de una batalla de terribles consecuencias, como sufrir un gran número de bajas.

Entraron con salvoconducto. Todo se preparó rápido para evitar filtraciones, iban a la segura. Buscaban a tres hombres: el Chiras, el Roñas y el Panzeco. Las cabezas visibles de una de las bandas que controlaban el barrio. Estaban dedicados al negocio del narcomenudeo y tenían la capacidad de traficar armas y cambiarlas por droga. De acuerdo con la información oficial, era la base operativa del cártel de Sinaloa en Tepito.

Entraron a plena luz del día, en el sopor de las cuatro de la tarde. Un comando de veinte a treinta policías se desplegó por entre los vericuetos de los chaparros edificios del número 27 de Venustiano Carranza. El conjunto habitacional fue tomado por hombres armados, equipados con cascos y todo lo necesario para librar una cruenta batalla.

Miramos el peliculesco despliegue de los *swat* de barro. Cuando todo estuvo listo, alguien dio la orden y un grupo de seis entró de golpe a la vivienda donde el terrible Panzeco comía a solas frente a la televisión. El tipo se quedó pasmado, luego levantó las manos. Lo obligaron a tenderse en el piso y lo esposaron.

El operativo fue un éxito; el Panzeco salió esposado del 27 de Venustiano Carranza, donde había vivido siempre. Los vecinos, sus amigos, lo miraron convencidos de que no tardaría mucho tiempo en regresar a retomar el control de su negocio, como había ocurrido otras veces en que lo aprehendieron. Al Panzeco lo detuvieron solo, nadie de su gente estaba cerca para prevenirlo.

Al callejón Libertad, a tres cuadras de allí, al mismo tiempo llegó otro grupo de patrullas y policías antimotines. El lugar quedó cercado. Quince minutos después de las cuatro de la tarde, el Chiras fue capturado.

Sabían dónde encontrarlo, en el departamento de una de sus amantes, a la que le gustaba visitar por las tardes. Alguien lo había seguido desde el estacionamiento donde operaba en un cuarto metido al fondo, un rincón poco accesible, cubierto por decenas de coches estacionados. En ese modesto cuarto, con calendarios de mujeres desnudas colgados en las paredes, sobre un viejo escritorio, el Chiras llevaba las cuentas de la venta de protección y la renta de los espacios callejeros para los comerciantes.

Todo fue planeado meticulosamente, ya que urgía la captura de esos tres personajes. Al Chiras apenas le dieron tiempo de vestirse. Lo sacaron de la cama que compartía con una morena que lanzó un gritó estremecedor al ver que el primero de los *robocops* irrumpía en su cuarto apuntándole con un enorme rifle.

El Roñas corrió con suerte, pues recibió el aviso de alguien de su confianza en la policía, algún mando de los judiciales, quizá alguien con poder a quien no le convenía que el líder visible de la organización fuera detenido. Iban tras él. Lo sabían todo. Antes de colgar, el Roñas preguntó quién había sido, quién los había delatado.

Había sido la muchacha con el pelo teñido de rojo. La flaca con la que se había encaprichado el Panzeco.

Tomó su auto, un Mercedes negro importado y escapó. Tenía una casa en Ecatepec, la cual usaba para ocultar a los secuestrados.

Al mismo tiempo que el Panzeco y el Chiras rendían su primera declaración, el Roñas hacía una serie de llamadas desde su refugio. Necesitaba ubicar a la mujer del pelo rojo.

Era una viciosa. El Panzeco la había llevado a Tepito y la tenía viviendo en un departamento.

Después de preparar su fuga, de buscar la protección del mero jefe, al que le cambiaban armas por droga, de saber que podía llegar al norte sin problemas, el Roñas hizo otra llamada. Necesitaba que la mujer se enterara de que iban tras ella. Quería que le hicieran llegar el mensaje. Antes de morir los *chivas,* los delatores, tenían que pagar el precio de su traición con una buena dosis de miedo.

El trabajo que encargó era sencillo, hasta un par de chavos como los que llamó podían realizarlo.

En las noticias de la televisión presentaron a los detenidos, "peligrosos integrantes del cártel de Tepito", y hablaron de su fuga. Trató de dormir sin conseguirlo. Fue una larga noche.

Al amanecer sonó el teléfono: la llamada que esperaba.

Sus instrucciones fueron precisas, iban a abandonar el cuerpo en el corazón del barrio. El cadáver debía aparecer dentro del automóvil negro y sin placas con el que habían "levantado" a la muchacha. Lo más importante era la llamada a Locatel para denunciar que en el automóvil estaba el cuerpo de una mujer asesinada y una bomba.

III

Siempre están ahí, si se tratara de una película serían las extras. Las extras de la vida.

En uno de los lugares reservados para los clientes importantes del Adelitas Bar, un grupo de hombres bebe. Caridad se aburre con la charla, con esa obsesión de los hombres por festejar chistes malos y repetir lo mismo hasta la saciedad.

Miramos a Caridad; a pesar del excesivo maquillaje su rostro no ha perdido sus rasgos de niña. No puede evitar el bostezo, está harta y lo peor de todo es que no le cabe duda de que esta noche el Roñas está decidido a terminar la fiesta con ella, llevarla a un cuarto de hotel barato, satisfacerse y luego ver la televisión un buen rato, antes de dormir, de perderse en ese sueño suyo de exabruptos y ronquidos que tanto le molestan.

Al Roñas lo conoció cuando recién llegó a trabajar al Adelitas Bar; era un cliente más, sólo eso. El tipo no representaba nada para ella. A veces le disgustaba que apareciera de pronto y pagara por sacarla del antro. Lo único por lo que soportaba sus desplantes, por lo que era capaz de irse con él, era por su dinero. El gordo tenía dinero y lo gastaba. Siempre le pagó bien.

Caridad alguna vez oyó que las putas eran chicas del *ambiente* y ella estaba en el *ambiente* por dinero, por eso toleraba a tipos como ése, al que no le gustaba que nadie lo llamara por su nombre, Rosendo.

Caridad sigue bostezando, se siente cansada, con ganas de irse a dormir, de dormir días enteros. Está sola a la mitad de la fiesta que el Roñas y sus cuates celebran en el reservado VIP del Adelitas de Ecatepec.

En ocasiones se siente tan distante de lo que ocurre a su alrededor, como si presenciara un espectáculo ajeno y monótono. Mira al Panzeco y su gordura, al Chiras y esa expresión suya de perdonavidas que no tolera, a Rosendo y su manera de hablar, sus gestos. El Roñas tiende a cierto amaneramiento. Siempre ha sospechado que es un puto de clóset. A esa galería de bestias, como siempre, la completan un par de achichincles, unos tipos que están dedicados a hacer cualquier cosa por sus jefes, manejar, encargarse de pagar la cuenta o eliminar a cualquier rival en el negocio.

Caridad vuelve a bostezar.

El Roñas la mira, sonríe, le pasa un papel, un punto de coca. Lo aspira, se siente mejor. Entonces escucha lo del plan.

Hablan de un cargamento de armas decomisado. Nadie se pasa con ellos, cuesta mucho dinero mantener bajo control la plaza, poder circular sin problemas. Alguien debe pagar por la traición.

Lo tienen todo arreglado. Desde el norte va a venir alguien de la confianza del mero jefe, del socio que se encarga de surtir la mercancía necesaria para el mercado que controlan.

El hombre que esperan es nada menos que el encargado de armar la bomba. Caridad lo escucha; van a poner una bomba en alguna parte. Es la primera vez que oye algo así. La gente del Roñas habla siempre de negocios, de ganancias en dólares y de dinero, mucho dinero. Alguna vez los oyó hablar de sus socios, de las transas con ellos; otra más, sólo una vez, de muertos y ejecutados. Nunca de una bomba.

IV

El Panzeco tiene cincuenta y tres años, su gordura y su rostro recuerdan a un cómico de la vieja radio mexicana que luego tuvo esporádicas apariciones en la televisión de blanco y negro.

Vemos al gordo frente al espejo; se afeita con cuidado, es de mañana, una mañana cualquiera. Luce unos impresionantes boxers que recuerdan la carpa de un circo. Exhibe su generoso abdomen, sonríe con la dulzura de los gordos. Se peina con cantidades industriales de goma líquida en modernas presentaciones. Le gusta que su pelo brille. No se lo dice a nadie, pero el Panzeco vio alguna vez la foto de aquel cómico del siglo pasado y copió su apariencia de cachetón con suerte, por eso de vez en cuando le gusta usar corbata, tiene un par de trajes comprados en Las Vegas en una de esas tiendas donde los gordos toman revancha y se hacen de la ropa que jamás encuentran a su medida.

Si vemos bien, en el extremo inferior del espejo una mujer duerme sobre una cama revuelta. Tiene el pelo teñido de rojo.

Al Panzeco le gustan las flacas por aquello de los equilibrios. Le gustan jovencitas. Tiene suerte para elegirlas desamparadas. Lo primero que ofrece es la protección de su enorme cuerpo. El enorme padre protector del que de seguro las niñas carecieron. Luego un lugar para vivir sin sobresaltos, la comida diaria y todo lo que les haga falta, el vicio, la droga.

A las muchachas las encuentra en la calle, sobran las desvalidas, las solitarias que no tienen a dónde ir. A la flaca del pelo rojo la vio parada en la calle, cerca de la plaza de San Fernando. La última de sus protegidas lo había abandonado llevándose lo que pudo del departamento que el gordo rentaba.

Mejor así, todos los amores se acaban. Le aburría que aquella muchacha siempre tuviera miedo. Estaba harto de que en la madrugada se despertara con ansiedad. No podía controlarla. La mujer estaba enferma.

Todas terminaban por hartarse, por eso el Panzeco no se había encariñado con ninguna. La muchacha del pelo pintado de rojo le gustó en cuanto la vio. Estaba sentada en una banca esperando su próximo cliente. Esa misma noche la llevó al departamento.

El gordo se alisa el cabello frente al espejo, le ha quedado como una brillante plasta con olor a lavanda. Sonríe de nuevo. En el extremo inferior del espejo vemos a la muchacha del pelo teñido de rojo abandonada a un sueño profundo, el sueño de la droga. Al gordo le provoca placer darles a las niñas el cobijo de la droga. Le gusta picarlas él mismo. Picarlas por ejemplo en las separaciones que hay entre los dedos de los pies. Pies pequeños y dulces, como para comérselos a besos.

V

El calor hiere, el fuego lacera piernas y brazos. Espasmos de horror... Abre los ojos, intenta explicar lo sucedido, le cuesta trabajo comprender lo que la rodea, le llegan imágenes del cielo gris por la contaminación, del duro asfalto sobre el que quedó tendida, el ruido de los autos, aquel grito de "¡Explotó!"

Poco a poco la realidad vuelve a ella, ese cúmulo de sensaciones, ese ardor que duele. Empieza a recordar lo que ocurrió, la explosión. Un golpe seco sobre el cuerpo. La primera muerte, la de la ausencia por quién sabe cuánto tiempo. La segunda muerte, la del dolor de la quemadura.

No recuerda mucho de lo que pasó, la ambulancia donde la llevaban, la mujer a la que le dijo su nombre, las preguntas que ésta le hizo. Abre los ojos, se ve rodeada de enfermeras y médicos. Está en un cuarto pequeño, con una intensa luz en lo alto. Antes de eso, tuvo que ser antes, la ambulancia. La mujer que le hacía las preguntas que no acaba de entender y que le decía que tuviera calma, que la iban a ayudar.

Antes de responder, de decirle su nombre, alcanza a murmurar:

—¿Qué pasó?

Lo que pasó no lo olvidará, el paquete, el encargo. En su primera versión de los hechos señaló que se dirigía a comer a un restaurante, a la mitad de una jornada de trabajo, que no supo nada hasta que abrió los ojos.

Quién iba a decirle a Zalma que su teléfono celular le proporcionaría a la policía mucha información: nada menos que la red de sus contactos en el barrio.

En sus primeras declaraciones, Zalma insistió en que nada tenía que ver con el frustrado atentado del narcoterror en la Zona Rosa de la ciudad de México, pero el registro de las llamadas hechas desde su teléfono la comprometieron tanto como el lugar donde vivía, un edificio en el corazón del barrio, a unas cuantas calles de donde operaba la red de narcomenudeo y tráfico de armas encabezada por el Roñas.

Meses después, cuando la muchacha enfrentó las acusaciones de atentar contra la seguridad pública y de asociación delictuosa, insistió en que cuando declaró por primera vez se encontraba sedada en su cuarto de hospital y bajo presión.

La de Zalma es una historia común en las infanterías del narco formadas por desesperados dispuestos a todo, con legiones de vendedores de la calle y sicarios. Todos son desechables, y lo saben.

Vemos a Zalma tras la rejilla de prácticas del juzgado, acompañada por media docena de cámaras de televisión, fotógrafos y reporteros en su comparecencia ante el juez.

Tiene la mirada extraviada, y con voz apenas audible dice lo que le aconsejaron. Nunca supo de ninguna explosión, caminaba por la calle cuando sintió como si la hubieran golpeado en la cabeza. Despertó con el dolor de las quemaduras.

Ella sabe que de todas maneras le van a cobrar lo que pasó. Lo que dijo de ellos.

VI

Necesitaban culpables y los tuvieron. Las piezas del rompecabezas estaban sobre la mesa: las declaraciones de Zalma, sus nexos con el cártel de Tepito; los videos tomados cerca del lugar de los hechos por una oportuna cámara colocada a la entrada de un colegio; las declaraciones de Caridad. Sólo hacía falta una pieza para darle sentido a todo.

A la muchacha del cabello teñido de rojo muchos en el barrio la vieron con el Panzeco. Esa muchacha estaba en el Adelitas Bar cuando se decidieron a ir en contra del jefe policiaco. Acompañó al Panzeco al aeropuerto cuando él y el Roñas recibieron al hombre encargado de armar la bomba.

La muchacha del pelo teñido de rojo fue con el Panzeco a entregar el paquete al mensajero.

La última pieza que faltaba para armar el rompecabezas era ella. En el barrio sabían dónde encontrarla, dónde

EXTRAS EN EL REPARTO DE LA VIDA

estaba el departamento al que el Panzeco llevaba a las jovencitas que recogía de la calle.

Fueron por ella, y ella les contó todo.

Luego la dejaron ir. Sabían lo que iba a pasarle.

■

EL 15 DE FEBRERO DE 2008, en la avenida Chapultepec de la ciudad de México, se registró una explosión. La causa fue un fallido atentado del narcotráfico contra Julio César Sánchez, alto mando policiaco.

Dos de los presuntos responsables, relacionados con el narcomenudeo y el tráfico de armas, Óscar Santoyo y Mauricio Navarro, se dieron a la fuga.

Se puede preguntar quién dio a la policía datos tan precisos sobre los involucrados en el bombazo. Además de Tania Vázquez Muñoz, la muchacha que caminaba junto a Juan Meza, el Pipen, cuando ocurrió la explosión, hay otras mujeres involucradas: Karla María de Monserrat González, la Monse, y una mujer conocida como "Erica", quien se presume iba en el Phantom verde al que subieron Tania y el Pipen minutos antes del atentado, donde se les pudo haber entregado el artefacto explosivo.

El paradero de Erica aún se desconoce.

Extrañas en la isla

A LA DISTANCIA se ve el mar azul, que es a la vez belleza y barrera infranqueable. Estamos en uno de los puntos más altos de la isla, el Mirador de la añorada libertad. Aquí la vegetación es abundante, y por las mañanas da gusto ver cómo se cuelan los rayos de sol entre las densas copas de los árboles. No lo parece, pero estamos en un penal, el de las Islas Marías, en la cárcel de la María Madre. Cuando alguien se harta de la libertad fingida de la isla viene a este lugar con riesgo de ser castigado. Pocos son los que se atreven a alejarse de los campamentos para subir por una sinuosa vereda hasta la cima de la colina y contemplar a la distancia el mar… y más allá, la verdadera libertad.

Gladis llegó hasta aquí una tarde, casi de noche. Uno a uno todos sus planes para una fuga imposible se habían ido a pique. En la estancia de mujeres del campamento principal recuerdan a esa muchacha, "era triste y rebelde". Nunca se resignó a pasar unos años en la isla, a reconocerse como uno más de los colonos que diariamente llevan la cuenta de los días que les restan para concluir sus sentencias.

—¿Qué es lo peor en esta prisión, la de los muros de agua, como la llamó el maestro José Revueltas?

—El hoy. Este largo día de tantas horas que parece no terminar —responde Edith Aguayo—. Edith se resiste a perder la belleza de otros años y otra vida. Lleva el pelo bien cortado, impecables las ropas. Lo peor es caer en el abandono.

No son muchas las mujeres solas en la isla. En la estancia femenina viven cinco, tres de las cuales conversan sentadas ante una mesa de cemento. Hay una atmósfera de tristeza en el lugar a pesar del césped podado y la limpieza del jardín. Un jardín de prisión, a fin de cuentas. Ellas lo llaman el jardín de las "soledades compartidas". Al reportero venido del "continente", tan ajeno a la isla, las mujeres le hablan de los hijos perdidos, del amante que las condenó al olvido, de los errores cometidos y los días y los meses y los años que a cada una de ellas les quedan para irse en el barco algún jueves por la tarde.

Gladis era una de las pocas mujeres solas en la isla; no quiso o no pudo o no tuvo tiempo de encontrar compañía, como lo hizo Leonarda, a la que apenas hace unos días las autoridades del penal le dieron permiso de "convivencia" y estrenó vida con Gustavo en una modesta casa en el campamento El Rehilete. Gladis pasaba los días en el encierro del cuarto que le asignaron, un espacio pequeño con un camastro, una mesa y nada más. Un cuarto que ella nunca pobló de las ilusiones perdidas o las añoranzas de otra vida distinta a la del penal. Era un lugar para rumiar tristezas y arrepentimientos. Una celda.

Al principio no hablaba con nadie; se levantaba de madrugada, pasaba lista y luego, como todas, iba a la "melga", al trabajo cotidiano, el de la limpieza en el jardín de niños, la atención a los hijos de las parejas de colonos que han logrado hacer del penal un pueblo donde, a pesar de todo, se pueden pasar con tranquilidad los años de la condena para después regresar al "continente" y tratar de empezar otra vez.

Gladis llegó en un avión de la PGR junto con otros colonos. Por ese tiempo las islas fueron promovidas entre las prisiones del país como una oportunidad. Los aspirantes a un penal donde se vive en libertad, donde se puede llevar a la familia, ocupar una modesta vivienda y trabajar, debían tener la mejor conducta, ser de extracción rural y sostener con fuerte convicción frente a los psicólogos y demás especialistas el propósito de rehabilitarse.

Como les ocurrió a muchos otros, el traslado de Gladis fue muy rápido. Alguien había decidido repoblar las islas, cambiar la historia del viejo penal fundado tras un decreto promulgado por Porfirio Díaz en 1905. La escoria de entonces, los peores delincuentes, la carne de presidio, los monstruos del crimen, serían condenados a vivir excluidos en una isla, apartados de la sociedad que los había engendrado. Pero ahora el de las Islas Marías sería reconocido como un penal modelo, ideal para la rehabilitación siempre postergada en las escuelas del crimen de las prisiones mexicanas.

A las mujeres del penal donde Gladis vivió los primeros meses de su sentencia las reunieron en el salón donde las alfabetizaban, donde por las tardes tenían clases de tejido y macramé y a donde llegaban las monjas a hablarles de Dios. El video mostró a aquellas mujeres, como la propia Gladis lo dijo con sorna alguna vez, una paradisiaca cárcel sin rejas. Sin pensarlo demasiado se anotó en la larga lista de los aspirantes a nuevos colonos de las Islas Marías.

Gladis les contó a Edith, Margarita y Griselda, una tarde, como la tarde en que platicamos, como todas las tardes en la rutinaria vida del penal, que tenía que huir de aquella cárcel. Le habían puesto precio a su cabeza. En el penal del que venía —alguna vez dijo estaba en Guadalajara, otra en Hermosillo y otra más en Tijuana— la iban a matar con una "punta", supuestamente en un intento de robo. Contaba Gladis que una reclusa que no conocía se le había acercado en una ocasión para decirle que tuviera cuidado, porque su vida valía cinco mil pesos.

Aquel video era más bien una especie de promocional de turismo para presidiarios dispuestos a cambiar de vida, dejar atrás la violencia de las peores cárceles, olvidar esa manera de vivir presas de la desesperación y las adicciones. Quien quería podía marcharse lejos, a una isla, donde si tenían buen comportamiento hasta podrían llevar a su familia. Gladis no tenía familia, pero quería salvar su vida.

Después de sufrir el "carcelazo", de los días o semanas en que la tristeza inmoviliza, en que uno se puede ahogar en el aire del encierro, en que reconoce el valor de lo más simple y literalmente mata la ausencia del cuerpo amado o la imposibilidad de dar un paseo, Gladis apareció para conversar con las mujeres en el triste jardín de las "soledades compartidas".

Hablaban del tema favorito cuando la "melga" terminó y faltaba todavía un rato para el último pase de lista, el de las 20:30 horas, luego del cual no queda más remedio que irse a la cama y tratar de dormir. Hablaban de lo que había sido su otra vida, antes de la cárcel, antes de la isla. Griselda era enfermera y trabajaba en un hospital en Morelia; lo más difícil para ella fue vencer su aversión a la sangre. No la soportaba. Edith recorrió con su belleza medio país. Modelo, actriz, cantante... le gustaba hablar de su aparición en aquella telenovela estelarizada por Ofelia Medina, *Rina,* aunque ninguna de sus amigas la recordaba como la sirvienta de la casa de ricos adonde había ido a vivir la jorobadita, más tarde convertida en bella dueña de los amores del hijo de aquella intrigante suegra que padeció la protagonista de aquel culebrón. Margarita era la más callada; con cualquier pretexto recordaba a sus hijos, de quienes llevaba siempre consigo una vieja fotografía recubierta con *diurex.* En ella se veía a una niña y a un niño de entre los tres y los cinco años de edad. Sin embargo, lo pequeños no sonreían; sorprendía la tristeza de sus rostros.

Cuando uno olvida el "carcelazo", cuando éste se queda congelado en la reserva de los dolores postergados, se respira cierto alivio y hay lugar para la resignación. Entonces ocurre un cambio sustancial en la cuenta de los días que uno lleva en prisión: se restan los que faltan para concluir la condena y se dejan de sumar los largos días de libertad perdida.

Hablar es una forma de consuelo y de recuperar el pasado, lo que sirve para tener la esperanza de que el presente del encierro quede atrás y venga pronto la vida recuperada.

"Me enamoré del Cochi, así le gustaba que le dijeran. Se llamaba Rodolfo. No era guapo, pero tenía algo, esos hombres siempre tienen algo. Cuando lo conocí yo trabajaba en una farmacia, allá en Apatzingán. A poco no les pasa, cuando se acuerdan, que lo vivido parece que pasó hace mucho tiempo, pero no es cierto, han pasado sólo tres años. Tres años desde que lo conocí. Del Cochi me dijeron 'Ten cuidado, es narco'. La verdad fue que eso me atrajo, los narcos son los que tienen modo de vivir. A sus mujeres les dan vida de reinas. El Cochi me llevaba regalos a la farmacia, cadenitas de oro y relojes. Un anillo con un brillante grande. Me hice del rogar, pero no tanto, no fuera a ser que se largara con otra o que lo mataran o lo metieran preso. Le dije que sí, me llevó a un baile con los Cadetes de Linares y Gigante de América.

Tomamos cerveza, probé el whisky. Nos dimos un peri-
cazo. Me llevó a un hotel con jacuzzi y cogimos como
Dios manda y perdona. El Cochi tenía sus secretos y le
gustaba complacer con ellos a sus amantes. Yo no era virgen, pero apenas me acordaba de aquel noviecito de la se-
cundaria, Ramón, a quien el Cochi le dio trabajo como
peón en uno de sus ranchos. El Cochi tenía treinta y cinco años y yo diecisiete. A los tres días de que nos ence-
rramos en aquel cuarto de hotel me fui a vivir con él. Mi
mamá se puso triste, pero el Cochi le dijo 'Jefa, a usted no
le va a faltar nada'."

A las mujeres les cuesta hablar de su boleto de entrada a
la cárcel, es decir, del delito del que las acusan. De manera
que evito hacerles preguntas incómodas; después de todo,
el custodio que me acompaña —el subdirector de vigilancia, comisionado para seguir a este periodista que
ha llegado a la isla, y que no me deja a solas con nadie—
me contó que Edith y Margarita vienen por delitos contra la salud. Las atraparon en el viaje, "burreras", como
muchas mujeres que purgan sentencias en las cárceles de
México.

Griselda está presa por secuestro y homicidio. La enfermera bonachona, con sus kilitos de más y su afable y
protectora sonrisa, me cuenta que la acusan del secuestro
de un comerciante. Niega que haya sido la encargada de
la atención del hombre en cautiverio, de medicarlo cuan-

do se puso grave por una crisis de diabetes. Niega que lo haya atendido después de que los de la banda le cercenaron un dedo para mandárselo a sus familiares como prueba de vida. Me dice que todo fue armado por los de la AFI. "Siempre necesitan culpables."

Para no dejar lugar a dudas, repite ante sus compañeras de la estancia femenina lo que imagino que han oído otras veces en las largas noches de vigilia en prisión:

—Lo único que tenían en mi contra fue una llamada telefónica. Una llamada donde dijeron "se negoció el rescate" fue mentira. Todo fue mentira.

Llegamos al penal el 20 de noviembre; el director quiso sorprenderme con el desfile organizado para conmemorar la Revolución Mexicana. Los niños del kínder y la primaria recorrieron las calles de Puerto Balleto. La parada terminó con los propios hijos del director para cerrar el desfile, un par de adolescentes vestidos de charro y montados en dos robustos caballos. Luego vino su caduco discurso, aderezado con sus gesticulaciones de político de pueblo. El tipo se comportaba como el emperador de la isla.

Esa misma tarde, la más callada de las mujeres, Margarita, de facciones indígenas y rostro ajado por la tristeza del encierro, me dijo en un murmullo:

—Nosotras no podemos decirle lo que nos pasa. Hablarle de los abusos. Usted se va a ir, pero nosotras aquí nos quedamos.

Le pedí a Margarita que me mostrara el lugar donde

vivía… ¿Cómo llamar al lugar donde las mujeres pasan la vida en el penal de las Islas Marías: celda, departamento, vivienda?

La tarde empezaba a caer, hacía frío. En el interior de su vivienda tenía fotos de sus hijos que quería enseñarme.

La estancia de Margarita parecía un almacén de adornos y baratijas: osos, gatos y conejos de peluche de diversos tamaños, docenas de figuras imitación porcelana. En la pared que se levantaba sobre la cama había un gobelino con una aterciopelada reproducción de *La última cena,* y en una pequeña mesa, una lámpara del Sagrado Corazón. El pecho de un Cristo de veinte centímetros de altura estaba iluminado por un foco que animaba con su luz un ardiente corazón.

Margarita tenía muchas más fotos de sus hijos, pero también tenía una de Gladis en la que se le veía un rostro felino y el pelo cayéndole con gracia sobre los hombros. La sonrisa de las muchachas hermosas. Su muerte había sido un acontecimiento; en los últimos años muy pocos se habían suicidado en la isla. Ese año sólo murieron tres personas, dos viejos colonos y un niño nacido en el "continente" al que su madre trajo a la isla a pesar de que le advirtieron que el bebé necesitaba de los cuidados intensivos de un hospital.

—Gladis era muy rara, aquí todas nos ponemos tristes pero luego se nos pasa, a ella no. Había días en que hablaba y hablaba, otros en que ni siquiera salía de su estancia. Se encerraba ahí sola, después de la "melga".

—¿Tenía familia? —pregunté con la maltratada foto de Gladis entre las manos.

—No, nadie la visitó nunca. Nos contó de su mamá, de sus hermanos. Del novio aquel al que le decían el Cochi.

—¿Cuánto tiempo vivió aquí?

—No sé, no mucho, tres o cuatro meses, pero la castigaron dos veces y se la llevaron al campamento de El Papelillo, al otro lado de la isla.

—¿Por qué la castigaron?

A Margarita le costaba trabajo responder frente a mi custodio personal, quien esperaba en la puerta, a unos cuantos metros de donde conversamos sentados en un par de sillones que no atino a imaginar cómo llegaron aquí.

—Por drogas —refirió Edith en voz baja.

Las drogas y los suicidios son parte de las historias subterráneas del penal.

Trató de reconstruir la historia de Gladis con los retazos de las charlas que compartió con las mujeres en el jardín de las soledades.

Edith me ofreció café, lo sirvió en un vaso de plástico. Del fondo del viejo ropero que tenía en un rincón de su estancia sacó un paquete de galletas. Ese ropero de luna parecía venido de muy lejos, de otra época, de otra realidad. Quizá, junto con los sillones donde estábamos sentados, fue parte del mobiliario de la casa del director. Muebles viejos, cargados de pasado: ¿cuánta gente habrá muerto en el penal de la isla en su época salvaje, cuando los colonos se mataban a machetazos o morían víctimas de paludismo y otras enfermedades?, ¿cuántos cuerpos habrá devorado el mar?

—¿Qué más sabe usted de Gladis? —pregunté.

—Muy poco. La verdad es que apenas la conocimos, aunque nos contó muchas cosas.

—¿Dejó algo, algunas pertenencias?

—A nosotros nada, pero dicen que se hizo de amigos allá en El Papelillo, dígale aquí al Jefe que lo lleve —se refería a mi custodio personal. El tipo que aguardaba receloso a la entrada de la estancia me había recogido esa mañana en el aeropuerto de la isla y desde entonces no se había separado de mí.

Estábamos a punto de marcharnos cuando le pedí a Margarita que me llevara a la estancia de Gladis, al cuarto donde se quedaba días enteros tumbada sobre un catre que apenas alcancé a distinguir desde una rendija en la puerta. No vi nada más.

Ya era de noche y el director llamó por radio a mi custodio. Debíamos ir a la casa principal, la casona donde ofrecía una cena al reportero que hasta ahora se había portado bien. Los mejores mariscos, buen vino y un par de historias de aparecidos contadas por la mujer del director. Al otro día había que levantarse temprano para un recorrido por la isla; el paseo terminaría en la playa. Dormí en el albergue para las visitas, cuartos con literas, baño limpio. El colono que se encargaba del lugar me dio la bienvenida; era un tipo silencioso al que le urgía marcharse a su casa. Antes de abandonarme al sueño, recordé a las mujeres con las que pasé la tarde. La soledad, el abandono era más intenso para ellas que para los hombres en prisión. Pronto las abandonan los esposos, los amantes y hasta los hijos. Sufren la carga económica y la vergüenza social. Cuando me despedí, Griselda me dijo adiós con lágrimas en los ojos. Margarita me confesó que hacía diez años que no sabía nada de sus hijos, que lo único que le quedaba eran esas fotos guardadas en un álbum de pastas rojas que atesoraba en su ropero. Edith me sonrió con coquetería, lució un oxidado encanto que de todos modos le agradecí.

Dormí tranquilo, estaba demasiado cansado por el viaje. Salimos temprano de la ciudad de México y arribamos a la isla pasado el medio día. Luego vino el desfile y la charla con el director, un funcionario veterano con un amplio recorrido por el sistema penitenciario mexicano, a quien, se decía, habían enviado a la isla para apartarlo. A alguien se le había ocurrido convertir las Islas Marías en reserva ecológica y luego impulsar un proyecto de desarrollo turístico. Los viejos colonos con quienes había conversado se reían de la ocurrencia que ya corría como pólvora en todo el penal.

—Aquí hay demasiadas historias, demasiado dolor para olvidar lo que ha pasado —me dijo el Wama, personaje que cargaba con una larga condena por homicidios, carne de presidio desde 1961, cuando ingresó por primera vez a Lecumberri.

Huevos con salchicha y café con leche, un buen desayuno. Mi custodio llegó temprano, pues me tenían preparada una visita al taller de torno, después el paseo por el penal. El subdirector de vigilancia, hombre cercano al director, traía un mapa que colocó sobre la mesa en la que había terminado de desayunar. La brecha cruzaba la isla, pocos reporteros habían tenido la suerte de recorrer el penal y muy pocos visitantes habían llegado a la playa para disfrutar de la belleza del mar y la tranquilidad de un día soleado.

De acuerdo, pero antes quería ir al panteón de la isla. Los muertos me podían contar las historias subterráneas de allí. En el cementerio abundan las tumbas de pobres, promontorios de tierra con viejas cruces de madera. Ni muertos se pudieron marchar de la isla. Célebres personajes de la historia de la cárcel de los muros de agua como el padre Trampitas, Juan Manuel Martínez, jesuita que vivió en la isla durante más de treinta años y a quien todavía recuerdan, dicen, por el consuelo que ofreció con su fe a muchos. Su amigo el Sapo, asesino convertido en devoto cristiano, fue enterrado a su lado en otra modesta tumba.

Algunos como el padre Trampitas y el Sapo encontraron en la isla un lugar para vivir, pero otros llegaron al penal a morir.

Sobre la plancha de cemento se levantaba un ángel de

rasgos femeninos, una escultura común como hay muchas en cualquier cementerio. El ángel imponía su presencia entre las tumbas envejecidas por el agobio del musgo en el cementerio del penal. Llevaba un rosario al cuello, la fila de cuentas lucían en buen estado. Junto con el rosario dejaron la ofrenda del Día de Muertos, celebrado hacía unos días, una cajetilla de cigarros y una botella vacía. Tabaco y alcohol para mitigar los dolores de la vida. Los cabos de cuatro velas colocadas en la plancha de cemento y ese par de veladoras consumidas en su vaso de cristal daban cuenta del intento de preservar la memoria de Gladis Martínez.

Tomé una de las flores secas del ramo colocado sobre la tumba. De aquellas flores silvestres únicamente quedaba un montón de restos grisáceos por el paso del tiempo. La flor se deshizo entre mis manos. La ofrenda, observó mi custodio, la habían llevado los de El Papelillo, el campamento de los segregados, donde Gladis pasó una temporada.

Dejamos el panteón dispuestos a hacer el recorrido por el penal. La siguiente parada era el taller de torno. Algunos colonos tenían la suerte de trabajar allí, otros trataban de mejorar su vida como podían, ya que las despensas para ellos y sus familias eran exiguas. Nadie me lo decía, pero en el penal de la isla muchos tenían hambre. No todos contaban con la suerte de poder comprar lo necesario para completar la cuota alimenticia en los changarros de los campamentos.

Antes de iniciar el recorrido, apenas al salir de Puerto Balleto nos topamos con un hombre. Le pedí a mi custodio personal que se detuviera y bajé a conversar con él. Se llamaba José y vivía con su familia en el campamento de El Rehilete.

—Buenos días, soy periodista, estamos por acá de visita...

—Buenos días...

—Qué tal la "melga", el trabajo de todos los días...

—Pues en la mañana tengo una "melguita", el aseo de la iglesia, atender la iglesia. Antes tenía otra "melga" más pesada. En la tarde hago lo que puedo, artesanías.

—¿Tiene familia?

—Sí, tres hijos y mi esposa; tengo convivencia, hace dos años me dieron la convivencia. Tenemos una casita que nos dio el gobierno, prestada pues, mientras cumplo mi sentencia.

—¿Qué tal le va con la familia?

—Pues el dinero no alcanza. Tengo tres niños en la primaria, uno en primer año, otro en quinto y otro en sexto. Lo malo es que aquí no hay quién nos compre las artesanías, no tenemos visita que venga a comprarnos.

—Entonces ¿de qué viven?

—Para entregarnos la convivencia nos pidieron una solvencia económica de la familia de afuera, en realidad dimos ese dinero para que nos entregaran la convivencia, pero a la familia no la podemos obligar a que nos esté mandando dinero.

—¿Con cuánto dinero puede vivir una familia aquí en la isla?

—Yo gasto como 500 pesos a la semana, pero tengo que trabajar desde que amanece hasta que anochece.

—¿De dónde viene ese dinero?

—De las artesanías malbaratadas, porque siempre que bajo a vender las llevo con la idea de darlas en un precio, pero las compran en otro. Me regatean para pagarlas a la mitad o a veces en menos. Así me la llevo, apenas sale para comer. A'i vamos batallando.

—¿Cuáles son los problemas que hay en la isla?

—Las autoridades. Con cada cambio llega un director diferente y nos cambian todo. Muchos han salido detenidos siendo directores, salen detenidos por la PGR, por lo mismo porque muchos de ellos vienen nada más a ver cómo roban.

—¿Cómo llegó a las islas?

—Vengo trasladado del Cereso de Reynosa, el dos de Reynosa, Tamaulipas.

—¿Qué ocurre con el problema de la violencia, de las drogas...?

—Pues parece que no, pero sí se maneja algo de drogadicción y alcoholismo, aunque también hay programas para ayudar... Pero sí, de que entran drogas, entran. Hay venta de drogas aunque las autoridades digan que no. Si pusieran cuatros por todos lados, mucha gente caería. Hay veces que hasta las mismas autoridades se involucran. Al entrar droga aquí, yo me supongo que ellos están involucrados, es muy difícil que la gente que viene de afuera la meta. De que hay droga, hay droga. Usted puede ver que hay grupos de narcóticos anónimos y si los hay es porque hay droga, eso es lo que le puedo decir.

—¿Cómo llegó aquí?, ¿por qué delito?

—Mi delito fue de transporte, fue un error, fue una lavada de cerebro que me dieron afuera. Fue un error, pienso que las autoridades no nos deben de cargar la mano, castigarnos los diez años cerrados. Fue un error, hay gente con capacidad para lavarle el cerebro a alguien de veintisiete años, como yo los tenía entonces. Necesitaba dinero y me decidí a aventarme un viaje. Caí en el primer "trayecto".

Me despedí del hombre y seguimos por el camino de tierra que rodea a la isla. Sorprendía la belleza, el verde por todas partes, el mar que se asoma en la distancia con una suave brisa.

Vimos de lejos los campamentos del penal, desde hace años convertidos en conjuntos habitacionales con pequeñas casas para la convivencia. A mi custodio personal le dieron instrucciones precisas, nada de llegar lejos en el recorrido, tampoco de entrevistas en El Papelillo. El *tour* continuó, avanzamos un buen rato hasta que me fastidié. No me interesaba ir a la playa ni gozar de un día de vacaciones en el penal de la isla. Teníamos que regresar a Puerto Balleto.

Como premio de consolación el subdirector de vigilancia me contó cómo era la vida en la isla quince años atrás, cuando llegó como guardia y le tocó varias veces estar de vigía en El Papelillo.

—Al principio de los años noventa todavía no teníamos mucha comunicación, no había teléfono, ni radio. Los campamentos más lejanos eran los más peligrosos, como el de El Camarón o el de El Papelillo.

La violencia acechaba constantemente y en cualquier momento irrumpía de la peor manera con el crudo golpe de un machete.

—Esa persona, aquel hombre se descontroló mentalmente una noche y agarró un machete. Estaba a dispuesto a matar a quien se le pusiera enfrente. Traté de controlarlo y gracias a Dios lo logré, pero me dejó de recuerdo esta cicatriz que me cruza la cara.

Una historia como tantas en El Papelillo, donde Gladis vivió segregada.

—¿Hay problemas de corrupción, de tráfico de drogas…? —le pregunté al guardia, que ocultaba su mirada detrás de unos lentes oscuros.

—Aquí no existen problemas de corrupción —al Jefe, como lo llaman, le molesta la pregunta. El penal del paraíso tiene sus reglas y como en todos los penales la primera es obedecer. Una regla clave para sobrevivir en cualquier cárcel del mundo es quedarse callado—. Aquí todo es transparente.

—¿Y las drogas?

—Como en cualquier penal las hay, no vamos a decir que no existen porque en revisiones que hemos hecho las detectamos. ¿Pero por dónde pasan? No lo sabemos, pero las hemos detectado.

—¿Qué drogas han detectado?

—Hierba verde, al parecer mariguana, en un tiempo su servidor también detectó el llamado por los químicos cristal.

—¿Es grave el consumo de drogas…?

—No, es mínimo, aquí es mínimo el trafico de drogas. Ese enervante que le mencioné, el llamado cristal, fue la única vez que trataron de pasarlo. Luego ya no se ha visto más.

Tengo la impresión de que mi custodio personal no sabía qué hacer conmigo. El plan era pasar el día en la playa y apenas era media mañana. Antes de que le pidiera instrucciones al director por radio le propuse ir a la clínica del Seguro Social. El tipo dudó y luego de unos segundos tomó el radio. Supuse que al director le molestaba que no estuviéramos tomando en la playa el sol de esa estupenda mañana, pero no podía negarse a que visitara la clínica.

De camino hacia allá encontré lo que buscaba; en una de las modestas casas para la convivencia había un enorme letrero y sobre un fondo azul cielo destacaban la luna y el sol: el Tíbet, Neuróticos Anónimos. Le pedí a mi custodio detener la camioneta; bajé y llamé a la puerta. A veces se tiene suerte: abrió una mujer, joven y con la belleza de las mujeres de Jalisco o Michoacán. Llamó a su esposo, el encargado del centro de Neuróticos Anónimos.

La historia de la pareja era como la de muchas otras que vivían allí. A José lo detuvieron por delitos contra la salud. Un error. La vida en la cárcel y las adicciones lo llevaron a intentar suicidarse varias veces. Sumido en la oscuridad encontró ayuda en el penal de Nuevo Laredo en un grupo como el que fundó en la isla. Con orgullo, me dijo que estaba seguro de haber salvado más de una vida.

Su mujer, Diana, tenía su propia historia.

—La familia me criticó mucho, cómo iba a aceptar dejarlo todo y venir aquí. Traer a mis hijos, pero siempre he estado con él. No nos ha ido mal. Estamos contentos, no nos falta nada. En tres años, si Dios quiere, nos vamos.

Hablamos fuera de la casa, sentados en una de las rudimentarias sillas de madera dispuestas en hileras. En ese lugar los neuróticos y adictos de la isla encontraban el alivio de la catarsis.

No resistí preguntar por Gladis, la suicida, la del ángel y la ofrenda en el cementerio del penal. Gladis, la muchacha de la sonrisa congelada en aquella foto que me enseñó Margarita en su estancia, a quien debían recordar los segregados de El Papelillo.

—Yo la conocí, vino a un par de sesiones —señaló Diana.

— ¿Por qué se suicidó?

—Para mí que la mataron… —agregó mientras su marido conversaba de cualquier cosa con mi guardián, quien esperaba en la entrada de la casa, cerca de la puerta que no se atrevió a cruzar.

—¿Por qué lo dice?

Diana no pierde el tiempo. Gladis era una herida abierta en la memoria de muchos en el penal.

—Yo no le puedo decir nada… aquí siempre nos vigilan. A ella le costaba trabajo hablar. Así que al terminar una de las sesiones me dio un cuaderno. Era su diario.

El diario de Gladis era una libreta de pastas azules desgastadas. Diana me lo dio en cuanto pudo. Mi custodio seguía distraído. Guardé el cuaderno en una de las bolsas del pantalón de estilo paracaidista que usaba, junto a los tres minicasetes de audio y la grabadora que llevaba para las entrevistas de la jornada.

Tenía que leer ese diario, encontrarme por fin con Gladis.

La siguiente parada fue la clínica del IMSS. Apenas me importó la información, el estado de salud de los colonos, los riesgos de una epidemia. Lo peor fue que la esposa del director tuvo la ocurrencia de organizar una comida con otro suculento menú de mariscos. La sobremesa me pareció eterna. El director y sus anécdotas de penales. Ese humor suyo de torturador. No podía más.

—Estoy encantado, les agradezco la comida y su compañía, pero me siento agotado. Quisiera ir a tomar una siesta.

Los sorprendí. Mi guardia me llevó a la cabaña para visitas y me encerré en mi cuarto. Tenía un par de horas antes de que la fiesta de los martes en la noche comenzara en la plaza de Puerto Balleto.

LA REINA DEL PACÍFICO

El cuaderno estaba escrito con una letra menuda y compacta, de trazos firmes. Había algo en esa letra que me hacía pensar en los esfuerzos de los niños por escribir con esmero.

"Me llamó Gladis. Llegué aquí enferma, muy enferma. La coca, el éxtasis, la mariguana, el alcohol… Estoy aquí porque quiero aliviarme, pero tengo mucho miedo. Vengo de un penal de lejos, muy lejos, había de todo y todo costaba diez pesos. El pase de coca, la pasta milagrosa, el buen toque de motita. Necesito de las drogas para vivir, para irla pasando. A ustedes no les interesa pero me he puesto fea, muy fea. Son las arrugas de la tristeza Si me preguntan a qué he venido les digo con franqueza que a tratar de salir de donde estoy, no de la isla, no, salir del hoyo, del abismo donde me ahogo. Reconozco aquí entre ustedes que bebo alcohol, mucho. Cuando llegas lo primero que encuentras es lo que buscas. Al principio me preocupaba lo de los castigos. Pero quiero decirles que el único remedio para mi miedo es sentirme ausente, alejarme de mí misma. Les leo esto porque no puedo hablar de frente con ustedes. Me da vergüenza."

Era la primera página del diario que Gladis había escrito con el propósito de leerlo en las sesiones del Tíbet. Podía imaginarla en la soledad de la estancia donde se encerraba después de la "melga" en el intento de alejar sus temores y adicciones al escribir las líneas del cuaderno que tenía frente a mí. Por fin nos encontrábamos.

A Gladis no le importaban las fechas, ni la secuencia

de lo narrado. Había llenado el cuaderno con apretados párrafos en los que relataba su historia, que era similar a la de muchas mujeres que vivieron a la sombra del narco, deslumbradas por sus personajes y dinero, encantadas por sus placeres.

"El Cochi se llamaba Lorenzo, pero pocos lo sabían. Me contó que era de una ranchería de por Zacapu. Creo que era mentira. Siempre decía mentiras. Le gustaba lo bueno y tenía dinero, mucho dinero para comprarlo. Lo conocí cuando llegó a la farmacia, donde trabajaba en el centro de Apatzingán. Hace tres años, o cuatro, quién sabe, pero parece que fue hace una eternidad. La farmacia era la del Sagrado Corazón. Entró como si fuera el dueño y pidió no se cuántas cosas. Lo vi gordo, con sus botas y su sombrero. Olía bonito. Un olor a lavanda y limpio. El Cochi volvió otra vez y luego otras. Me buscaba. Me dijeron que era narco. La verdad me gustaban sus regalos. Nadie me daba esas cosas, relojes y cadenas, una virgencita de oro. Me invitó a comer, pero me dio miedo. Luego me esperó a la salida del trabajo. Fue cuando descubrí que no estaba solo, que siempre lo acompañaban otros hombres. Bajó de su camioneta, una camioneta grande y muy nueva. Se acercó con esa sonrisa de diablo de pastorela que tenía. La sonrisa con que a veces lo sueño. Estaba segura de que me iba a llevar con él, de que no le iba a importar a nadie que gritara, que nadie se iba a meter. El Cochi era narco y todos lo sabían."

Aquel diario era el desahogo de la muchacha que encontró la muerte en la isla. Había que ir hilvanando aquella letra de niña para dar forma a su historia.

"Al Cochi no le gustaba hablar de sus negocios. Tampoco de sus mujeres. Tenía otras, le gustaba enamorarse. A mí también. Canciones de amor, sobre todo las canciones viejas tocadas por las bandas de hoy en las fiestas. Nos gustaba mucho ir a las fiestas. Desde aquí veo a la que era antes. Me duele que haya sido tan feliz. Era todo como un juego, el Cochi supo enamorarme. A mi mamá le fueron con el chisme y mis hermanos se hicieron disimulados. Con los narcos nadie se mete. Tenía que irme con él, quería ser otra. Al principio me enamoré, estaba dispuesta a dar la vida por ese hombre. El Cochi, Lorenzo, como me gustaba decirle cuando estábamos solos en la cama después de acariciarnos y hacer el amor, en ese rato cuando lo abrazaba y me sentía protegida, cuando recargaba mi cabeza en su panza y pensaba en el futuro, un futuro lejos del negocio, en otro país, con otra gente, un futuro donde la muerte no estuviera metida entre nosotros, donde no tuviéramos tanto miedo. El Cochi fumaba y veía televisión, se relajaba. Dormía poco, muy poco."

Gladis escribió su diario para explicar lo que le había ocurrido. Si el primer texto era dedicado a la audiencia del Tíbet, un intento por compartir con ellos las razones de su adicción, el resto era una forma de poner sobre el papel los acontecimientos de su vida truncada.

"¿Por qué me metí en el negocio? Supongo que para sobrevivir. Las mujeres como yo son desechables. El Cochi y sus amigos coleccionan a las niñas que se deslumbran con ellos. Al principio era como ellas, los pantalones de mezclilla de marca, untados, la blusa escotada. Los atributos de una buena mercancía siempre a la vista. La vida divertida, sin remordimientos, pero a mí las crudas siempre me pegan muy fuerte, me siento enferma. Es como cuando la regla, apenas me levanto de la cama. Por eso pensaba tanto, por eso del malestar me ganaba la tristeza. A mí me había ido bien, vivía en Guadalajara, en una casa bonita con todas las comodidades. El Cochi se quedaba conmigo semanas enteras, aunque viajaba mucho por lo de su negocio. Yo no sabía de esas cosas, ni quería saberlas, pero era la única manera de que no me volviera una carga, de que no se aburriera, de que no terminara por regresarme a la farmacia a vivir con mi mamá y mis hermanos. Sin querer te enteras de muchas cosas. La gente, los amigos y los hombres que lo cuidaban, las otras mujeres, sobra quién te cuente. El Cochi se encargaba de llevar mota de Sinaloa a la frontera. Un negocio de mucho dinero. Los viajes eran por carretera. En la mejor época, en tráilers, del pinche tráfico en automóviles o camionetas, nada. Era un buen negocio y a mí me ganó la codicia."

Gladis escribía de golpe, no había una sola tachadura en su texto. Cualquiera habría pensado que el cuaderno pertenecía a un niño, no que se trataba de los apuntes de una suicida.

"En el otro penal tuve suerte, una cabrona me tomó bajo su protección. Me decía mi ángel. Un ángel caído en desgracia. No me faltaba nada, dónde dormir, comida, todo lo necesario para aliviar el encierro. La cabrona me decía que me la llevara tranquila y en tres años o hasta en menos estaría fuera, pero yo tenía miedo, miedo. Los 'chivas', los que ponen el dedo, siempre tienen miedo. Miedo de que el Cochi se vengara. También de llevármela tranquila, como decía la cabrona, y luego irme. Miedo de no tener ya otro lugar que la cárcel."

A Gladis la encontraron colgada de un árbol en el Mirador de la isla. Su cuerpo se balanceaba lentamente frente al mar.

A FINALES DEL AÑO 2004 estuve en las Islas Marías. En esa prisión, tan arraigada en el imaginario mexicano, constaté que las mujeres que han perdido la libertad sufren un profundo abandono. Resultan una carga para quienes fueron sus esposos o amantes. Su familia las olvida.

Gladis murió en las islas, su historia me la contaron las mujeres con quienes compartió la amarga experiencia del encarcelamiento.

La violencia del narcotráfico cobra la vida de muchas mujeres. Un dato: en el año 2006 fueron asesinadas en Michoacán ciento cuatro mujeres; la mitad de estos crímenes se cometió en zonas de influencia del narcotráfico.

¿Cuántas mujeres están en prisión por delitos relacionados con el narcotráfico?

En el estado de Michoacán, de donde provenía Gladis, el noventa por ciento de las doscientas treinta y tres mujeres encarceladas están acusadas de delitos contra la salud. La mayoría de ellas son supuestas "burreras".

Tiempo extra

LAS HUELLAS DE LA EXPLOSIÓN estaban por doquier: muebles desechos, trozos de cristal, restos esparcidos de toda clase de objetos y un insoportable olor a quemado. La oficina quedó destrozada. Nadie habría sobrevivido al estallido que cimbró el edificio y provocó el corte de la luz. Unas débiles flamas era lo único que quedaba del incendio que lograron sofocar los bomberos.

Apenas diez minutos antes, un hombre sigiloso había salido del elevador. Se acercó a la entrada del despacho de la abogada y con sumo cuidado sacó de una maleta deportiva un objeto envuelto en una bolsa de plástico del súper.

Y diez minutos antes de eso el teléfono había sonado varias veces; era un llamado insistente y molesto que distrajo a la abogada de la minuciosa revisión de un expediente judicial que contenía una gran cantidad de fojas. A esas horas estaba sola, pues la secretaria, los abogados y los pasantes que trabajaban para ella ya se habían marchado.

Estuvo a punto de no responder, porque esa llamada había coincidido con un momento crucial en la exploración del documento, en ese escudriñar el texto para encontrar los posibles errores, las omisiones o los excesos del Ministerio Público. Necesitaba urdir la defensa de un cliente, pero era tan molesto oír el timbre del teléfono, que decidió levantar el auricular.

—Bueno —dijo con una voz que había educado para dar la impresión de autoridad, para imponer respeto; una voz a la altura de su profesión.

Nadie que la oyera podía adivinar su origen humilde. La abogada había roto un círculo de pobreza que iba más allá de lo económico, que a esas alturas de su vida la hacía una mujer distinta a la abnegada esposa de un obrero que penosamente gana para sobrevivir, a la mujer que vive la condena de un trabajo como dependienta en algún negocio.

La abogada se había apartado de ese sino de mediocridad; por eso siempre levantaba la voz.

—¡Bueno...! —insistió.

Estaba a punto de colgar cuando del otro lado de la línea, en un murmullo apenas audible, alguien dijo, tratando de ocultar su verdadera voz, seguramente con el viejo truco de colocar un pañuelo sobre la bocina:

—Tenga cuidado, la van a matar...

Dado que no era la primera vez que la amenazaban, estaba preparada para responder, y con frialdad y cierto dejo de ironía preguntó:

—¿Quién habla? Dime, ¿quién me va a matar?

La mujer, porque sin duda era una mujer la que llamaba, perdió el control. Estaba azorada.

—Le… le quiero decir… que van a poner una bomba —atinó a confesar aquella voz titubeante.

La abogada se quedó sorprendida. La habían amenazado con arrastrarla, con dejarla sin familia, con matarla a golpes o con dispararle, pero era la primera vez que le hablaban de una explosión.

Una fría ráfaga de viento apartó la cortina del ventanal abierto de su oficina.

Desde siempre, desde que era niña, la abogada había temido morir en un incendio, sufrir terribles quemaduras que la desfiguraran y la convirtieran en una piltrafa humana.

Diez minutos antes de que aquel hombre se plantara frente a la puerta de su despacho con el paquete, desde el otro lado de la línea la voz encubierta de mujer dijo de golpe:

—Tiene diez minutos, sólo diez minutos para salir de su oficina. Ya van en camino, le van a poner una bomba.

La abogada no perdió tiempo, dejó todo en el despacho, el expediente abierto sobre su escritorio, los restos de un sándwich de jamón y una taza de café a medias. Ni siquiera volvió por el saco del traje sastre azul marino que tanto le gustaba, con el que estaba segura de lucir más delgada. Un traje sastre pagado en dólares, de lo mejor en su vestuario.

Quienes litigamos en materia penal, tanto en el fuero común como en el federal, lo vemos todos los días, es triste darnos cuenta de que tenemos autoridades corruptas. Autoridades que en lugar de administrar y procurar justicia son parciales cuando quienes comparecen en un hecho o se ven involucrados en una acusación están apoyados por influencias o tienen recursos económicos altos.

La libertad se puede comprar o conseguir. Sólo los pobres terminan en la cárcel.

En nuestras cárceles, como en nuestro país, la mayoría son pobres.

En todos los asuntos que llevo, en los que he manejado a lo largo de la vida, veo que tenemos una doble moral. Todos vamos a misa los domingos, nos damos golpes de pecho y luego no nos importa llevarnos de frente a quien nos estorbe en el camino. Lo mismo sucede en la clase baja que en la clase media o en la clase alta.

Años después de aquel atentado la abogada acepta una entrevista. El pretexto es uno de sus más célebres casos, el de un presunto homicida que escandalizó con sus crímenes a la sociedad, una negra historia convertida en *show* televisivo de alto *raiting*, con ingredientes de sexo, dinero y la triste muerte de dos niños.

La lista de los defendidos por la abogada es extensa y abarca una larga carrera iniciada hace un par de décadas. Lo mismo narcotraficantes que altos funcionarios de las corporaciones policiacas; nuevos ricos dedicados al redituable negocio de la venta de drogas al menudeo o sicarios a quienes sus jefes han decidido ayudar para comprar su silencio. La abogada cobra en dólares, y cobra muy bien.

Protagonista de truculentas historias, amiga de policías de altos vuelos y legendarios narcotraficantes, ocupa un lugar en la galería de personajes célebres en la ciudad donde vive. No es mentira lo que dice su secretaria cuando en lugar de darme la dirección del bufete insiste en que basta con que al taxista le pida que me lleve a la oficina de la famosa licenciada.

¿De dónde vino la riqueza que —según cuentan— tiene la abogada, esas millonarias cuentas en bancos en el extranjero, la inmobiliaria, los hoteles, los muchos negocios en los que dicen que está asociada "por abajo del agua"?

Corre el rumor que de sus tratos con los narcos. Hay versiones de que cobró la recompensa que las autoridades ofrecían por uno de los barones del narcotráfico en México, el mero jefe de las operaciones en una importante zona fronteriza. Dueño del negocio del trasiego de droga por mar, aire y tierra en la vasta región del Golfo de México.

Por entonces la abogada era reconocida como la más hábil del bufete donde trabajaba. Ganó casos que parecían imposibles, logró reducir penas y consumar sentencias absolutorias cuando todo estaba en contra. Supo mover las palancas adecuadas, aceitar los enmohecidos engranajes de la justicia con el mejor lubricante.

Por esos tiempos las autoridades tenían en la mira al cártel que operaba en la región del Golfo de México. Desde el otro lado de la frontera crecía la presión, por lo que era necesario dar un golpe. No pasó mucho tiempo antes de que cayera uno de los operadores financieros de la organización. Uno de los cerebros clave en el lavado de dinero y en el manejo de los fabulosos recursos de las organizaciones criminales. El tipo eligió un abogado para su defensa; la organización pagaba bien y tenía algunos de los mejores en la nómina, con contactos por todas partes y los suficientes recursos para inclinar la balanza de la justicia hacia el lado conveniente.

Pero en algún momento el tipo desconfió, tuvo la impresión de que lo habían elegido como chivo expiatorio, de que su captura estaba pactada. Fue entonces cuando apareció en escena la abogada.

Llevó el caso lo mejor que pudo, logró que el juicio se aplazara. Sabía que para su cliente lo más importante era ganar tiempo, ya que esperaba ayuda de muy arriba. Todo parecía seguir el curso trazado por los intereses de la organización. El dinero fluía para todos, pero los dueños del bufete donde trabajaba se quedaban con la parte del león. La abogada estaba ya cansada, después de todo quien hacía los arreglos, arrastraba la pluma y pasaba la vida en los juzgados era ella. Fue entonces cuando meditó cómo dejar atrás el círculo gris del trabajo de todos los días, del modesto sueldo y la peor vida. Ella merecía algo mejor y lo iba a conseguir.

Conversó con su cliente, sabía de sus temores, le pidió unos días para buscar por ahí, para hablar con algunos amigos. Volvió al penal y en la sala de locutorios le dijo al tipo, que esa mañana había despertado con dolor de muelas, que su captura fue pactada. Había sido una verdadera traición.

Le contó que, según sus fuentes, habían decidido reemplazarlo, estaba quemado, muy visto, desprestigiado para hacer buenos negocios. Además, no tenía visión empresarial, se manejaba como rico de pueblo y eso ya no le servía a una organización criminal moderna. Podían haberle dado "piso", deshacerse de él, mandarlo al retiro o simplemente desaparecerlo.

La presión desde el otro lado de la frontera se dejaba sentir cada vez con más fuerza, eran los tiempos de la famosa certificación que el gobierno de Estados Unidos otorgaba a los países que hacían bien la tarea de enfrentar a los narcotraficantes. Habían puesto su cabeza en una bandeja con dedicatoria para los gringos. Por más tiempo que ella pudiera ganar, su suerte estaba echada. Nadie iba a ayudarlo. Lo iban a sentenciar, le iban echar encima delitos y una larga condena, era el elegido para pagar las culpas. Después de un tiempo prudente alguien lo visitaría en el penal para darle un recado de parte del jefe: "No es nada personal, es cuestión de negocios. Sólo son negocios".

Además de ganarse la confianza de su cliente al confirmar sus sospechas, la abogada también sembró en ese sujeto privado de su libertad, de su manera de vivir como privilegiado hombre de negocios, el ánimo de venganza.

Ella podía encontrar la manera de que saliera de prisión, de que recuperara parte de sus bienes incautados y del dinero que había ganado con su trabajo. Era cuestión de pactar con los gringos. Tenía los contactos necesarios para que él se convirtiera en testigo protegido.

Había una recompensa por el líder de la organización. Tres millones de dólares.

Mire, le voy a ser clara, soy abogada, no tengo por qué seguir estrategias torcidas. Siempre quiero ver de frente a mi hija. Tengo una hija, soy madre soltera, y a ella quiero verla siempre de frente. Le aseguro que en ninguno de mis asuntos he seguido ese tipo de estrategias.

A mí se me ha criticado, que si la abogada del diablo, que la abogada de narcos. Sólo hago mi trabajo y lo hago lo mejor posible. Lo que dicen mis clientes se acredita y tengo la satisfacción de que muchos de ellos están ahora con sentencias absolutorias. Otros tienen penas menores a las que les quisieron imponer.

No se trata de urdir estrategias, se trata de decir la verdad.

Fue un vuelo pesado. El avión tardó en despegar, un dolor de cabeza la obligó a tomar un par de pastillas que le provocaron agruras. Estaba muy cansada, eran muchas las tensiones, el trabajo, los asuntos pendientes. Era de los pocos abogados capaces de enfrentar al aparato de justicia con casos del narcotráfico, de los pocos que se atrevían a ir en contra de sentencias dictadas mucho antes de la consumación de los juicios a personajes señalados por su fuerza dentro de las organizaciones o policías de los más altos niveles acusados de corrupción. Llevaba asuntos delicados que muchos preferían ni tocar, pero que dejaban mucho dinero.

Llegar al aeropuerto de la ciudad de México a la hora de mayor tráfico aéreo es temerario. Los pasajeros de ese vuelo proveniente del norte esperaron durante más de media hora en un lugar apartado de las pistas para poder concluir su viaje.

La abogada pensó que quizá lo mejor era llamar a su cliente y decirle que se reunieran a la mañana siguiente, después de haber descansado, de haber sorteado las agruras, el dolor de cabeza y esa incómoda sensación de que las cosas no irían como ella esperaba. Buscó el teléfono celular en su bolsa y en cuanto lo encendió recibió el aviso de que tenía un recado urgente.

Era de Alberto Enríquez Aguilar, quien hasta una semana antes era el encargado del área de Operaciones contra el Crimen Organizado de la PGR. Un poderoso comandante acusado de encubrir y proteger las acciones del narcotráfico en Nuevo Laredo.

—Me urge verla, licenciada —dijo con su voz aguardentosa, gastada por el tabaco—. La estaré esperando a la salida del aeropuerto para llevarla a su hotel.

Parecía imposible escapar a esa cita fuera de programa. La mayoría de sus clientes acudían a ella con la confianza de los dólares que podían pagarle, con el respaldo de la información que sabían que podían usar para mejorar su situación. Muy pocos actuaban desesperados, confundidos por el temor de perder la libertad. Muchos de ellos habían enfrentado antes otras acusaciones de corrupción o habían sido detenidos por delitos contra la salud. Por más delicada que fuera su situación, únicamente era un percance en su actividad profesional.

Para salir adelante, para librar el escollo, actuaban como quien busca al mejor mecánico para reparar su automóvil o al plomero para que arregle la tubería y todo vuelva a funcionar como siempre. Con el mismo propósito la buscaban a ella. Más allá de su fama, había demostrado su eficacia, poseía los contactos, conocía muy bien cómo operaba la burocracia de la justicia, tenía la intuición para entender qué se buscaba, de dónde venía o a qué respondían las acusaciones en contra de sus clientes.

Después de bajar del avión caminó con su pequeña maleta en la que llevaba apenas lo indispensable para dormir una noche y una muda de ropa para la mañana siguiente. Planeaba estar de vuelta por la tarde, ir al despacho, revisar algunos expedientes y concluir la jornada. Una jornada que sería decisiva para el futuro de su cliente, el comandante de la voz aguardentosa, quien era el ex encargado de Operaciones contra el Crimen Organizado de la PGR.

Iban a reunirse por la mañana con uno de los más altos funcionarios de la PGR, pues lo mejor era pactar, poner sobre la mesa la información que buscaban. A su cliente no le quedaba otra salida más que la negociación. En cuanto cesara el escándalo, que iba a ser inevitable, debía optar por el retiro en un lugar alejado y dedicado a una actividad distinta; por ejemplo, a la captura de camarón en algún apartado campo pesquero de Sinaloa o el cultivo de agave en Sayula.

Al comandante le dieron el pitazo un par de semanas antes, sobre su cabeza pendía la acusación de encubrir las operaciones del cártel del Golfo. Era cuestión de días para que el asunto estallara. Algún amigo le entregó en el bar del Sanborns de Plaza Universidad una copia del voluminoso expediente que habían preparado en su contra. Todo había comenzado con la declaración de un testigo protegido.

En el punto convenido del aeropuerto, la abogada se encontró con el comandante Enríquez y su chofer. Se dirigieron al estacionamiento en silencio. Habría querido ir cuanto antes a su cuarto de hotel, darse un baño con agua caliente y perder el tiempo frente a la televisión viendo una vieja película mexicana, alguna historia en blanco y negro. No deseaba complicaciones en ese momento.

En cuanto abordaron la camioneta, el comandante le dijo que estaba nervioso, preocupado. De hecho, fue de los pocos clientes que se atrevieron a confesarle que tenía miedo.

—Usted sabe, licenciada, si caigo… Tengo muchos enemigos, más de uno estaría dispuesto a pagar para que allá dentro me maten. Hay gente mala, malandrines a los que les gustaría tenerme en su territorio.

La abogada pensó que en la prisión lo mejor que podría ocurrirle al comandante sería que lo mataran. Allá dentro, a más de uno de sus clientes le habían pasado la factura, pero con cobro diferido, golpes, humillaciones… el infierno de saberse absolutamente vulnerable después de haber sido poderoso.

Por supuesto, no iba a contarle a su cliente esas negras anécdotas.

—Yo le aseguro que usted no va a pisar la cárcel. Tenga confianza.

Al día siguiente, a las once de la mañana estaba programada su cita clave. La abogada había establecido los puentes necesarios. El comandante tenía una oportunidad que ella no estaba dispuesta a perder.

Estaban atorados; la camioneta blindada en la que iban avanzaba despacio entre cientos de autos en interminables hileras por el viaducto de la ciudad de México. No quería que la ansiedad y los temores del licenciado la afectaran. El miedo se contagia; cuando se aparece como un negro fantasma provoca ansiedades y sudoraciones, impide trabajar con lucidez. A la abogada no le gustaba andar por la vida con esa sensación de vacío en el estomago, esa opresión en el pecho que impide respirar. Necesitaba darle una buena dosis de confianza a su cliente.

—Mire, comandante, no se preocupe. Las cosas se van a arreglar, necesitamos estar tranquilos. Lo que usted tiene que hacer es negociar, saber negociar.

Desde el asiento delantero de la camioneta el comandante Enríquez la miraba con recelo. La abogada se preguntaba hasta dónde sería capaz de resistir; quizá iba a doblarse en el peor momento y echar por la borda todo lo que hubieran podido lograr. No quería imaginar a ese hombre, un cincuentón obeso, dependiente de quién sabe cuántas cosas, caído en la desgracia de la cárcel, porque la iba a pasar mal.

La abogada trató de infundirle confianza con una recomendación:

—Dígales lo que quieren saber y nada más. Guárdese algo para negociar más adelante. Si las cosas se ponen difíciles, ese as en la manga puede convertirse en la llave que le abra las puertas de la libertad, señor Enríquez.

El gordo sonrió. Era mejor así, lo que menos necesitaba era un cliente vencido antes de iniciar la pelea. A tipos como ése debía cobrarles extra por la ayuda psicológica, por ofrecerles algo que podría incluir en la lista de sus honorarios y viáticos bajo el cargo de "gastos por apoyo emocional".

Por fin llegaron a la amplia avenida Reforma, que a ella le gustaba por moderna y conservar viejos rasgos del pasado, de otro México tan distante. Más de una vez había caminado por esa avenida en plan de turista, contemplando sus monumentos: la Diana y el Ángel de la Independencia eran sus favoritos.

Entraron a un estacionamiento subterráneo. Después de bajar un piso, de circular en las entrañas del alto edificio que albergaba el hotel, encontraron un lugar desocupado. Se proponía despachar a Enríquez rápido, sólo tenían que repasar la información que iban a poner sobre el escritorio del funcionario. El hombre ya esperaba dicha información, por la cual estaba dispuesto a pactar. Ni a la abogada ni al comandante les interesaba lo que haría después con ella. Tal vez la usaría para golpear las redes de operación del cártel, la enviaría a los gringos, chantajearía a alguien con ella o la guardaría para aprovecharla en el momento oportuno. Lo importante era lo que el funcionario podía ofrecer a cambio de esos nombres y otros datos: la libertad de su cliente, su retiro del servicio después de una acusación que con el tiempo pasaría al olvido como un expediente más del narcotráfico olvidado.

Cuando subieron por un par de escaleras, el comandante no se despegó de su guardia, el chofer y el par de guardaespaldas que de seguro los habían seguido desde el aeropuerto y se habían presentado ante su jefe en cuanto bajó de la camioneta. Entraron por la puerta de emergencia al *lobby* del hotel. La abogada miró su imagen reflejada en el enorme espejo con grecas doradas que abarcaba la pared de enfrente. Le hacía falta un corte de pelo y pintarse los labios.

Fue entonces cuando vio a uno de esos hombres; era moreno, usaba bigote y llevaba puesta una chamarra blanca. Lo acompañaban otros dos sujetos, de mediana edad y sin ninguna particularidad visible. El bigotón de la chamarra blanca fue el primero en sacar su arma y disparar. Ella corrió entre el fuego, pero no llegó lejos, pues un intenso dolor en la espalda la hizo trastabillar.

Nada de lo que ocurría, ni el tiroteo ni los gritos de la gente, ni el cuerpo que cayó a su lado, ni la sangre que le brotaba de la cabeza tenía sentido. El dolor era insoportable, era como un hierro candente. La muerte quema, provoca intensos ardores y sofoca.

La abogada trataba de incorporarse para tratar de escapar. Si lo lograba, iba a correr por su vida.

El mismo hombre, el de la chamarra blanca, el de cara alargada, de más de un metro setenta de estatura y una edad aproximada de treinta y cinco años, se acercó y le disparó a la cabeza.

Pero esa tarde en el Hotel Cosmos de la ciudad de México a la abogada no le tocaba morir.

El comandante Alberto Enríquez y dos de sus hombres murieron acribillados en el ataque. Uno de los gatilleros también murió y otro resultó gravemente herido.

Yo tengo un juramento hecho, tengo una ética profesional, soy abogada y debo de defender a quien viene a mi oficina buscando mis servicios. No importa si son asuntos de mucha prensa o delicados, no me puedo esconder, ni evadir mi responsabilidad. Siempre he asumido los riesgos que implica mi profesión y siempre la he practicado con dignidad. Tengo que decir que lamentablemente por el hecho de ser mujer todavía no le permiten a una actuar plenamente en un mundo de hombres. Por como han sido educados, por sus inseguridades, a muchos caballeros les cuesta aceptar que una mujer puede ser tan capaz o más capaz que ellos en muchos terrenos. Todavía padecemos el machismo, somos víctimas de mentalidades machistas que de inmediato nos descalifican por ser mujeres, no importa lo preparadas o experimentadas que seamos. Somos mujeres y punto.

A esta altura de mi vida no quiero más fama de la que tengo, fama que es resultado de los hechos que lamentablemente me ha tocado vivir. Tampoco necesito más dinero, sólo quiero estar en paz con mi conciencia, con mi familia y con mis clientes, quienes creen en el trabajo que hago.

A las afueras del edificio donde se encuentra el despacho de la abogada hay un verdadero despliegue de seguridad. Un grupo de policías federales, otro de municipales y de seguro más de algún "guarura" particular. Parecería que se preparan para repeler un ataque armado que puede desencadenarse en cualquier momento.

Después de superar la barrera del comando de defensores de la abogada, entro a la recepción del despacho, donde me recibe con una sonrisa la misma muchacha que me atendió por teléfono. Tras una espera de diez minutos, la abogada abre la puerta de su despacho y me saluda amablemente. Está en los cincuenta, tiene el pelo corto, teñido de rubio, viste de manera práctica, con un traje sastre que bien pudo comprar en el supermercado. Es evidente la cirugía estética que le ha modificado el rostro. Tiene el mismo semblante, la misma expresión de muchos que se han sometido al bisturí de la ansiada belleza y la eterna juventud.

El amplio despacho está compuesto por una sala alargada que culmina en un gran escritorio. Por todas partes hay cruces, de madera, de metal, de plástico, de quién sabe cuántos materiales y colores. El salón de las cruces donde despacha la abogada que ha sobrevivido a cuatro atentados, sin embargo, es lóbrego y triste. Aquí llegan los clientes, sus familiares, sus amigos, sus socios a buscar la ayuda de la más famosa de los abogados que se dedican a tratar asuntos delicados, esos que se vinculan con el narcotráfico.

Ahora que tengo la oportunidad de entrevistar a esta mujer, el caso del presunto homicida de un par de niños se encuentra en el *top* de los medios. La violencia del crimen y la turbia relación del presunto asesino con la familia han dado lugar a muchas especulaciones, todas bienvenidas por el amarillismo, por el interés de vender periódicos y revistas, por sumar más puntos de *raiting*.

A la abogada no le gustan los periodistas, menos su preguntas. No es fácil hablar con ella. Supongo que el momento da lugar a ello. Tiene claro que necesita de los medios para la defensa de su cliente. Debe buscar la forma de contrarrestar la condena, dictada desde las pantallas y las primeras planas, de ese muchacho al que han convertido en un monstruo, de esos que la sociedad necesita de vez en cuando para desfogar culpas y arrepentimientos.

La enorme cruz de madera del fondo del salón, las pequeñas de hierro forjado colocadas con cierto descuido sobre el escritorio, la amarilla de madera que está colgada en la pared, la de cobre a la que mantienen reluciente, la de palma en una esquina y las pequeñas de alegres colores rojo, azul, amarillo, verde pistache y rosa mexicano, todas estas cruces representan una singular trinchera en la que se resguarda la abogada sobreviviente de cuatro atentados.

En el muy personal imaginario de esta mujer, las cruces forman un halo protector, un conjuro palpable que la protege de las acechanzas de la muerte.

En el despacho no hay una solo foto, tampoco ninguna imagen del Cristo que dio fama universal a la cruz. Las cruces de todos los colores y las formas también representan los afectos de la abogada y sus amores.

El despacho de las cruces bien puede ser definido como una galería de milagros.

Usted ya vio mi oficina. Yo siempre estoy muy bien acompañada. Yo creo que Dios me dejó con vida con algún propósito, no para

irme a esconder o cambiarme de cara o de nombre como me dije-
ron que lo hiciera hace algún tiempo.

Mis atentados tienen que ver con que fui abogada, y todavía
lo soy, de testigos protegidos, pero quiero decirle que esos atenta-
dos no fueron causados porque yo defendiera a narcotraficantes,
sino por la corrupción que impera en nuestro país, por la corrup-
ción que impera en las corporaciones policiacas, tanto federales
como estatales.

Después del primer atentado, el que sufrí a los cuarenta y dos
años de edad, aprendí muchas cosas, pero lo más importante fue
que estaba equivocada, que nunca me había dado cuenta de qué
tan grande era el cariño que Dios me tenía. Lo peor era que yo
no me estaba ocupando de sus cosas. Él me había dejado hacer de
todo, no me dejó con deseos de nada, pero me olvidaba de lo prin-
cipal, de vivir para lo que él quería que yo viviera.

Las heridas terminan por restañarse. Quizá a la abogada le
queda como mal recuerdo esa dolencia en la pierna, recu-
rrente en tiempos de lluvias, o ese modo de andar que ya
nunca va a ser normal. Sin embargo, del miedo nadie se
cura, queda ahí para toda la vida, es como un mal bicho
que de pronto salta de debajo de la cama o se aparece en
lo oscuro.

Para protegerse del miedo, desde tiempos inmemoria-
les los hombres han recurrido a conjuros y a la fe. Pero,
¿puede la fe alejar la muerte?, ¿exorcizar al demonio del
temor a morir asesinado?

Por carecer de respuestas a esas preguntas, la abogada decidió darle a la fe un empujoncito, ayudar a la mano de Dios con sus habilidades. Necesitaba algo parecido a una amnistía, a un acuerdo. No le importaba pagar por su vida lo que fuera, a cambio de la tranquilidad de pasar por alto que la muerte puede aparecerse de pronto: otro bombazo, una emboscada, un tiro…

Le dispararon en su despacho. Un par de hombres que no pudo ver entraron un miércoles por la noche, ya tarde. Había sido un día de rutina en los juzgados y en las visitas a los clientes. Esa jornada transcurrió tan rápido que quedaron muchos pendientes.

La abogada se sentó frente a su escritorio y con paciencia emprendió aquella tarea que le podía llevar varias horas. Vale decir que le gusta su oficio, ir contra todo a favor de sus clientes.

La puerta se abrió de golpe. Ni siquiera lo pensó, trató de ponerse a salvo, de huir. Una ráfaga de disparos la alcanzó. De seguro cualquier otro mortal habría perdido la vida, pero la abogada no.

La cosieron a tiros, recibió trece impactos. Uno le rozó la cabeza. Cuatro balas se le incrustaron en un muslo. Otra más en una nalga. Otras siete en el estómago.

Ninguna bala dañó órganos vitales.

Después de los atentados que he sufrido aprendí muchas cosas. Tengo seis años viviendo, disfrutando desde que amanece hasta que anochece. En la mañana le doy gracias a Dios por un día más. Le pido que me indique lo que tengo que hacer, que él me ponga a quien debo de ayudar y a quien debo mantener lejos de mi camino.

Yo le digo: yo me ocupo de tus cosas y tú ocúpate de las mías. Él me mete en cada problema que usted ni se imagina, pero cuando se tiene y conoce realmente la presencia de Dios, nada más hay que hacer lo que a uno le toca.

Son retos muy grandes, tengo problemas con el gobierno federal, con el gobierno estatal, porque ahora ya no soy sólo informante del narco, ahora dicen que yo pertenezco a un cártel, que yo soy la que manejo ese cártel.

Como le decía, es increíble la corrupción que tenemos y padecemos, pero yo sé que esas acusaciones son un reto para mí, que son pruebas muy grandes que tengo que enfrentar. Lo que buscan es que me asuste, que me vaya y me esconda.

El último de los atentados sufridos por la llamada abogada del diablo, quien trabaja en un lugar que podría ser conocido como el salón de las cruces, no fue nada comparado con la bomba que estalló en su oficina, o la emboscada en el *lobby* de un hotel en la ciudad de México, o el ataque perpetrado por un par de sicarios que le hicieron trece disparos.

Era mediodía cuando salió de los juzgados y subió a uno de esos coches modestos que le gusta usar para no llamar la atención. Una camioneta de vidrios polarizados y modelo reciente se detuvo al lado del automóvil. De pronto hubo una ráfaga de disparos.

La abogada resultó ilesa.

Dicen que era informante del narco, que recibí tres millones de dólares. También dicen que convivo con los narcos. Mil cosas se han dicho de mi, pero insisto: soy mujer y no les está permitido a las mujeres destacar en este medio. Cuesta mucho mantenerse con dignidad en un mundo de hombres, en un mundo de funcionaros corruptos de todos los niveles.

Creo que sí estoy viviendo tiempo extra, tiempo de más, un tiempo que Dios me regaló; lo tengo que vivir plenamente y con todos los problemas que Él me mande.

Sé que me voy a morir, pero voy a morir de pie.

■

Conocí a RAQUENEL VILLANUEVA días después de que se encargó de la defensa de Diego Santoy, acusado del homicidio de los niños Eric y Fernando Peña Coss. Un caso explotado hasta la saciedad por los medios de comunicación, en el que la abogada se confrontó con la versión de la Procuraduría General de Justicia del Estado de Nuevo León.

La entrevista que realizamos fue parte de un reportaje realizado para el programa *Séptimo día,* que en el año de 2006 se transmitía por el Canal 40 de televisión.

De Raquenel Villanueva se dicen muchas cosas. Corre el rumor de que denunció a Juan García Ábrego a las autoridades norteamericanas. No hace mucho permaneció arraigada por la PGR en la ciudad de México al verse involucrada en la desaparición del agente del Ministerio Público Martín Gerardo Saldaña Sixtos en Chilpancingo, Guerrero.

Meses después de su captura la abogada fue liberada sin ningún cargo.

Raquenel Villanueva habla como una sobreviviente.

La otra Reina

I

DE AQUELLA VIEJA CIUDAD sólo quedan vestigios, algunas casonas del centro, la arbolada plaza y nada más. Sus calles padecen los achaques de una modernidad enferma, del exceso de automóviles, de los ejércitos de vendedores ambulantes, de la pobreza como una cruel epidemia de dolidos rostros que se asoman en todas partes.

Por la historia de esta ciudad transitan héroes nacionales, un par de poetas y un elogiado compositor de música popular. Alguna vez su nombre fue escrito para la posteridad con letras doradas acordes al monumento de la plaza, un obelisco enano y sin gusto. De aquellas letras doradas sólo quedan tres; las demás cedieron su lugar a huecos llenos de mugre.

Esta ciudad es parte de la geografía del narcotráfico, entrada a la región serrana donde se cultiva mariguana y amapola, asiento de laboratorios clandestinos para la elaboración de drogas sintéticas. Es lugar de operación del mercado internacional y espacio propicio para el narcomenudeo. Desde hace años, en la región apenas se cultivan aguacates y hortalizas.

Si bien aquí florece un extenso mercado de narcomenudeo, también se dan negocios a lo grande: la compra y venta al mayoreo de la mercancía que viene desde el sur del continente o baja de las montañas cercanas. Las ejecuciones y los "levantones" son cosa de todos los días, a tal grado que parece imposible que los cerca de cien mil habitantes de la ciudad —que es la cabecera municipal— trabajen, se enamoren, tengan hijos, sigan adelante y se levanten cada día para hacer lo que les toca en la vida.

Sobran sitios para conseguir la piedra, el punto de coca, los chochos, la motita; por ejemplo, en la tienda de la esquina, donde hay anuncios de cerveza y venden mercancía para la subsistencia como pan, laterías, refrescos y demás. Un recorrido en busca de los negocios del narco callejero revela que los hay de todo tipo, lo mismo en el viejo centro, cerca del mercado municipal, que a las afueras de la ciudad, por la salida a México o a Guadalajara. Son negocios modestos, como una refaccionaria, alguna distribuidora de cerveza y media docena de loncherías.

El *tour* por los comercios del narcomenudeo debe ser lento, con tiempo suficiente para detenerse a observar su movimiento y sorprenderse con su prosperidad. A cualquier hora del día o de la noche llegan decenas de clientes, hombres y mujeres de mediana edad, jóvenes recién salidos de la pubertad, señoras con la bolsa del mandado, desempleados, viciosos consumidos por la urgencia de la próxima dosis.

Si lo que se busca es hacer negocio, comprar lo suficiente para llevarlo al mercado del norte y sus dólares, sólo es cuestión de paciencia, de encontrar al contacto para llegar a la casa, al cuarto de hotel o a la bodega abandonada donde se puede comprar la mercancía al mayoreo.

La Reina está por aparecer, es cuestión de los últimos toques de maquillaje, de atinar a la justa dimensión de las líneas que se extienden sobre los párpados, de plasmar el color morado. Como debe ser, el potente rojo de los labios llama al deseo. La rubia peluca rizada se coloca como corona al final del arreglo, de la metamorfosis.

Hay que tomarse su tiempo, hacerlo despacio, disfrutar cada momento de la instauración del personaje en el propio cuerpo, en el propio rostro…

La Reina está por aparecer.

La otra vida, la de la rutina y la subsistencia, quedó por ahí, arrumbada junto con la ropa de todos los días, el pantalón sin chiste, la camiseta que apesta a sudor, los mugrosos tenis. El *glamour* brilla como ese breve *topless* negro; es sedoso como las pantimedias; excita como la falda de color rojo; impone centímetros de altura gracias a los zapatos de enorme y transparente tacón de cenicienta callejera; es una promesa como la tanga donde se acomoda con destreza el sexo.

Colgado en la pared del pequeño cuarto rentado, que se sitúa en la parte trasera de la casa de una familia decente, hay un espejo de cuerpo entero donde la Reina se mira. La cama en que duerme, el aparato de sonido colocado sobre un par de sillas desvencijadas, la tele y la media docena de vestidos para sus noches de súbito dejan de existir, de atarla a una realidad de la que la Reina quiere huir.

La casa se encuentra al final de un callejón, por mucho tiempo estuvo deshabitada. Un día los vecinos empezaron a notar movimiento, de madrugada llegaban coches y camionetas. Nadie quiso enterarse quiénes eran los nuevos ocupantes de aquella casa de dos plantas, tampoco de las reparaciones que realizaron, una remodelación que se llevó meses enteros. Los vecinos veían llegar camiones cargados de material, decenas de albañiles entrar y salir. Corrieron rumores de que en el número 9 de la Cerrada Acacias se estaba construyendo un búnker.

Y era cierto. Bajo la casa se acondicionó un lugar con todo lo necesario para alojar sicarios, la bodega con el armamento y la ropa usada para las operaciones. Media docena de modestos cuartos, la sala de tiro, un espectacular gimnasio. El escondite para el comando dedicado a la custodia de los patrones y las delicadas misiones que la guerra del narco impone contra los más diversos enemigos.

Las fuerzas de la policía mundial, esos hombres y mujeres reclutados para matar o morir, ocupan lugares como éstos en las ciudades y puntos estratégicos de la geografía del narcotráfico. Ocultos en casas de seguridad como ésa pueden pasar semanas enteras consumiéndose en el encierro, en la larga espera de la acción.

Siete de esos hombres aguardan instrucciones de los jefes; han llegado a la ciudad a reventar a un par de infelices. Nadie les ha dicho, tampoco les interesa, por qué van contra ellos. Llevan dos pesados días ocultos, en espera de la llamada que les confirme el momento de actuar, a dónde ir por las víctimas.

Televisores encendidos, música y máquinas de video, el extraño escenario del lugar donde los sicarios esperan, donde resulta que matan el tiempo. Vinieron de lejos, del norte; para los trabajos delicados es mejor traer gente de fuera, grupos de elite, entrenados y bien armados. Entre ellos ha corrido el rumor de que van a pegarle a un mando policiaco, no sería el primero ni el último.

Horas y horas de tedio en que se confunden la noche y el día. Bajo tierra, en el búnker, la luz siempre es la misma, se ve a la misma gente, se habla de lo mismo, se sigue la rutina de la espera, las armas están listas, los vehículos preparados, sólo es cuestión de esperar una llamada.

A la Reina la espera la promesa de la noche, las ganas de hacer lo que sabe, exhibirse y ofrecer dosis de placer a quien la busca. Más allá de la fatiga, de los riesgos, la Reina asume su trabajo como una aventura. Le gusta caminar al borde del abismo.

El espejo le confirma quién es; lejos, en otro planeta, quedó la vida ajena a esta realidad. De manera brumosa recuerda quién es a la luz del día, cuál es el nombre registrado en su credencial de elector, un tal René con quien no tiene nada que ver. René y sus miedos, René y sus tristezas, René y sus amores idos. Adiós, René.

Cuando está de humor, cuando la realidad no la atropella con sus exigencias, la Reina es capaz de nacer cada noche. Imagina el cuento de una oruga encapsulada en un capullo. La oruga vive arrinconada, lejos de la luz del día que lastima. Apenas oscurece la oruga empieza a transformarse, es sencillo despojarse del disfraz de la normalidad, es sólo cuestión de aventar por ahí la camiseta, los pantalones de mezclilla, los sucios tenis, el minúsculo calzoncillo para quedar desnudo y buscar las alas. Las alas del maquillaje, los colores del vestuario. Las Reinas como ésta vuelan de noche.

En esas largas horas de espera es común que algunos se harten, que fastidiados se atrevan a buscar salir un rato, vagar por ahí y luego regresar. Después de setenta y dos horas de encierro, quienes han soportado las penas de la prisión pueden volverse muy peligrosos. Las restricciones de la vida militar no surten efecto en los mercenarios.

Para mantener tranquilos a quienes saben que ésta puede ser la última misión hay que administrarles placer y diversión. El consumo de alcohol y de drogas tiene que ser medido, apenas lo necesario para conseguir un precario equilibrio.

De no ser flexible con quienes saben que andan por la vida con la consigna de matar o morir se corren muchos peligros.

Hay quien es capaz de dormir días enteros, de sumirse en la inconciencia para despertar justo en el momento de entrar en acción. Otros ven película tras película, comen frente al televisor del que se apartan sólo para dormir un rato. También hay aficionados a los juegos de video, a las extrañas aventuras artificiales donde lo mejor que hacen es eliminar miles de seres, que representan obstáculos para llegar al prometido tesoro, con potentes armas. Otros no soportan el encierro, les remueve los malos recuerdos y los hace peligrosos.

A la Reina le gustan los cuentos, la fábula de la mariposa de las alas brillantes y moradas es su favorita.

Se mira al espejo, el placer de ser otra la envuelve, ante esta bella imagen sofisticada pasa un largo rato, sonríe, seduce, habla, interpreta la vida que desea. Si está de buen humor pone música, y baila y canta. El *show* de la soledad y la belleza reservada para ella misma y sus postizos.

La Reina tiene otra historia, la de quien es capaz de

entrar al espejo, una Alicia revisitada, quien de tanto mirar encuentra cómo fundirse en la imagen del otro lado y dar el paso.

II

La noche mitiga el intenso calor del día, sopla un suave viento sobre la plaza de la ciudad. Arbolada y con bancas repartidas en su contorno, podría pensarse que es una pintoresca postal de provincia, pero la vieja plaza de los héroes caídos resulta peligrosa por las noches, si no se sabe dónde y con quién se puede conectar lo que haga falta. En las más apartadas bancas las muchachas esperan a los clientes de la noche de sábado. Los policías disimulan que todo va bien, la verdad es que vigilan y protegen la marcha de los negocios subterráneos.

En una de las esquinas de la plaza, en lo alto de una vieja construcción que alberga una mueblería y un bar, se erige un extraño monumento a la vencida calma provinciana. Una pantalla de brillante colorido, gigantescas imágenes y atronador sonido anuncia negocios, restaurantes, hoteles y agencias de viajes. Esa modernidad comercial que explota en la enorme pantalla confiere a la plaza una dosis de locura.

Conforme avanza la noche las bandas apostadas en los cuatro costados de la plaza comienzan a tocar. Es la alegría del negocio que resultó, de la carga vendida y el arreglo para que la mercancía llegue sin problemas a los clientes del otro lado. Las bandas, con sus tamboras y trompetas, compiten por el espacio auditivo. Los retazos de lo que se escucha confirma al narcocorrido como memorial del narco y sus protagonistas. Las armas, las muertes, los enfrentamientos, las fabulosas ganancias, las mujeres y el placer…

De la vieja plaza de los héroes caídos podría escribirse un corrido. Escenario de tiroteos, lugar de despedidas y triunfales regresos de la frontera.

Aquí manda el Zeta 4 y todos los saben, en la presidencia municipal despacha su compadre. Otro de sus hombres es el jefe de la policía. Es una ciudad tomada por el narco en la que desfilan los carros de asalto del Ejército que, como dicen por aquí, "siempre llega tarde" o "de plano ni se mete".

Ciudad de secuestros, donde muchos pagan un impuesto por la tranquilidad siempre amenazada.

Ciudad de tiroteos y ejecuciones. ¿Quién se atreve a ponerle ritmo al corrido de los cuerpos desaparecidos?

Es la noche de la fiesta de octubre. La luna llena impone su blanca belleza en un cielo despejado. Vienen del norte con dólares y pagan a la banda horas y horas. El escándalo molesta a los jefes. Les piden que se vayan. Siguen de tercos, se hacen de palabras y la música sigue. No tarda en llegar el comando: dos camionetas con hombres armados los acribillan en plena calle. Se llevan los dos cuerpos que todavía reclama la familia.

La Reina llega al mercado, le molesta el olor a podrido, por todas partes quedan los restos de la actividad del día, el multicolor desperdicio. Reconoce la angosta banqueta masacrada por el tiempo, los postes de luz con lámparas fundidas, todo forma parte del escenario para la representación de *ellas*.

Las mira inocentes en la esquina, es un enjambre de flores negras dadoras de placer. Son las suyas, a quienes saluda de beso y habla de *mana,* con quienes se encuentra al otro lado del espejo en la calle de las reinas.

Los primeros son los clientes decididos a llegar a casa temprano. Sobran los curiosos, quienes miran el espectáculo. Los miedos, el conformarse con el solitario placer de lo mirado, el no haberse atrevido a tocar la puerta de lo *otro*.

A la Reina no le gusta quedarse en la esquina y esperar con el enjambre de mariposas, prefiere caminar, dar unos pasos por ahí. En ocasiones fuma un cigarro sola, con la calma de las horas de la noche que comienza. Luego regresa a donde están las amigas y conversa con ellas. Les gusta hablar de hombres. No falta quien ofrezca algo para mitigar la espera o para tratar de pasarla bien. Entre las amigas sobran las que se deprimen, las muertas en vida, quienes no encuentran cómo cambiar de giro, dejar para siempre al amante madreador. Las más chavitas lo disfrutan, puede ganarse una lana y conocer a mucha gente. Les gustan las fiestas privadas, esos reventones con tipos que quieren todo y pagan bien.

La Reina se siente extraña, no ve telenovelas, hace mucho que dejó de tener novio de planta. Le gusta ganar dinero, le gusta que la busquen y lo que puede hacer con esos cuerpos ansiosos. En la calle sobra el placer de los encuentros furtivos. Por eso está aquí, por uno de esos encuentros es capaz de esperar las cinco, las seis horas que faltan hasta el próximo amanecer.

Los hombres del comando desesperan, el encierro los consume. El ambiente es tenso, nadie quiere jugar una mano más de póquer. No es la primera vez que los mercenarios se encuentran en esa situación, la conocen, es la parte más pesada del trabajo. Cuando se pasan días enteros en el encierro de una casa de seguridad, sin nada que hacer, puede haber problemas. Es mejor buscar cómo relajar el ambiente, ofrecerles a los hombres algo de diversión. Si las tensiones siguen al alza, si el ambiente se encrespa aún más puede haber muertos. No sería la primera vez que sucediera.

Por eso el comandante tuvo la idea de hacer una pequeña fiesta que distrajera y relajara a sus hombres. Por eso llamó a tres de su confianza y les dio instrucciones. Los hombres tomaron una de las camionetas y se marcharon. Nadie iba a detenerlos, nadie les iba a preguntar por qué el vehículo carecía de placas. Llevaban sus celulares y estaban alertas. Si la instrucción de actuar llegaba, podrían encontrar al resto del grupo en algún lugar convenido.

LA REINA DEL PACÍFICO

Avanzaron por las calles de la ciudad, la camioneta tenía los vidrios polarizados y el espacio suficiente para llevar sus armas, un par de metralletas y un R15 por si algo se salía de control. Lejos de detenerlos, una patrulla dobló la esquina y aceleró antes de toparse con ellos. A nadie le interesaba saber a qué habían ido esos hombres que cruzaban las calles de la ciudad en esa camioneta de vidrios polarizados y sin placas. Todos sabían que quizá esa misma noche, tal vez la siguiente, alguien iba desaparecer, algunos cuerpos iban a amanecer con huellas de tortura al final de una brecha. Los más curiosos se preguntaban quién podría ser la próxima víctima.

La camioneta dio la vuelta por la plaza de los héroes caídos, a esas horas la publicidad de la pantalla había subido de tono. Al detenerse en el semáforo, pudieron ver el anuncio del *table dance* El Gallo, un lugar reservado para exigentes. Alcanzaron a mirar parte del audaz anuncio del Sex Shop de Paco antes de dar vuelta rumbo al mercado.

La Reina se fastidia, no soporta más la "charla" de amores tan chafas, aburridos y desafortunados de las mariposas. Le molesta que ande por ahí un padrotillo dejándose ver. Hace rato que dejó la coca y bebe lo menos posible, bebe para relajarse, para ponerse a tono.

Empieza a andar por la banqueta chueca, tiene cuidado de no tropezar con los enormes tacones. Hace calor, un calor pegajoso, que le molesta. Odia el sudor que daña su maquillaje. Enciende un cigarro con calma. Un automóvil se detiene frente a ella. Apenas distingue a los tipos que la llaman. Uno de ellos se asoma y pregunta con la vulgaridad de siempre por el precio. Contesta con desprecio. Jamás se iría con ellos.

Sigue de frente rumbo a la esquina, atrás quedó la parvada. Camina despacio y con estilo, como si desfilara por una pasarela llena de reflectores. Un par de autos pasan por la calle de las reinas; la luz de los faros ilumina sus largas piernas, se siente mirada, deseada.

Por fin llega a la esquina, a unos metros aguardan un par de taxis, conoce a los chóferes, más de una vez la han llevado al Hotel Gema con un cliente de a pie, o de regreso a su casa al final de la jornada. Del bolso de mano donde trae una docena de condones saca una pequeña botella de vodka y le da un trago. Un trago largo y profundo. La bebida la reconforta. Mira a la camioneta detenerse frente a la parvada. Esos tipos siempre pagan bien, por eso las muchachas se les ofrecen. No parecen interesados en ninguna. La camioneta de los vidrios polarizados y sin placas avanza hasta donde se encuentra ella. Se detiene, la enorme puerta del costado derecho se abre. Por un momento la Reina duda, pero termina por subir.

La foto apareció en la primera plana de *Verdades*, una gacetilla vendida en las calles de la ciudad. El cuerpo yacía sobre un charco de sangre. "Escándalo de sexo y drogas", se leía en el titular de la primera plana del periódico. La nota de unos cuántos párrafos hablaba del asesinato de un travesti no identificado. Lo habían golpeado y torturado.

■

HACE ALGUNAS SEMANAS alguien me habló en Apatzingán, Michoacán, de las ciudades tomadas por el narco. Platicábamos en la plaza de la ciudad un sábado por la noche. Oímos disparos. A nadie pareció importarle, la vida transcurrió como siempre a esas horas, con las bandas de música apostadas en los cuatro puntos cardinales de la plaza, preparándose para una larga jornada, las trabajadoras sexuales apareciendo por ahí y los travestis llegando a la calle del mercado.

Hace algunos años preparé un singular reportaje para el programa *Punto de partida* de Multivisión. Levantamos imágenes sobre las "tienditas" del narcomenudeo en Uruapan, otra ciudad michoacana donde el negocio del narco callejero proliferaba.

Muchas de las víctimas de la violencia que impone el narcotráfico son ignoradas. Apenas alcanzan la primera plana de un modesto periódico de pueblo dedicado a la nota roja.